AVEC PLAISIR
2

méthode de français

Guy Capelle
Albert Raasch

Hachette
français langue étrangère
58, rue Jean Bleuzen
92170 VANVES

Photographies et documents de :

P. Siccoli/Gamma, pp. 12-13 ; L. Jahan, p. 25 ; Molinard, pp. 24-25 ;
L. Jahan, p. 36 ; Hachette, p. 37 ; Giraudon © ADAGP, p. 37 ;
Galerie Louise Leiris © SPADEM, p. 37 ; E. Zeziola, p. 48 ;
L. Jahan, pp. 48 et 49 ; Landin, p. 60 ;
Archives Lipnitzki © SPADEM, p. 61 ; E. Soulier © Pix, p. 70 ;
L. Jahan, p. 72 ; J.-P. Gouesse, Éditions ARIS, p. 85 ;
A. Wolf, Explorer, p. 85 ; F. Jalain, Explorer, p. 85 ; Pix, p. 97 ;
L. Jahan, p. 109 ; Goscinny-Uderzo, extrait de *Le tour de Gaule,*
© Editions Albert-René Goscinny-Uderzo, p. 109 ;
Cahiers du cinéma, p. 120 ;
Syndicat d'initiative des Saintes-Maries-de-la-Mer, p. 121 ;
E. Zeziola, p. 121 ; Almasy, p. 121 ; AFP, p. 132 ;
Cahiers du cinéma, p. 133.

Feuilleton « Avec plaisir » :

Scénaristes : Guy Capelle, Albert Raasch, Pierre Sisser.
Réalisateur : Pierre Sisser.
Photos : E. Soulier/Pix, © Hachette, Langenscheidt.

Dessins de :

A. Depresle, pp. 22, 73, 85.
E. Collilieux, pp. 14, 15, 26, 38, 39, 50, 51, 62, 75, 86, 99,
110, 111, 122, 123, 134, 135.

Maquettes de :

A. Depresle (intérieur)
V. M. Lahuerta (couverture)

« Avec plaisir :

En collaboration avec SWF, WDR, ORF,
la télévision de la Suisse allemande et romande
et les éditions Langenscheidt.

ISBN 2.01.011869.3

INTRODUCTION

• Composition de « Avec plaisir » 2

« **Avec plaisir** » **2,** méthode vidéo pour l'enseignement du français langue étrangère, est un ensemble multi-media qui comprend :
— **quatre vidéocassettes** présentant les douze épisodes d'un feuilleton qui met en scène trois jeunes journalistes sur la côte d'Azur, des séquences didactiques, quelques séquences « culturelles », et des interviews à caractère socioprofessionnel,
— **un livre** pour l'étudiant comportant l'intégralité des dialogues (feuilleton et interviews), des documents photographiques, des explications grammaticales et des exercices, un résumé grammatical, des corrigés d'exercices, un lexique,
— **deux cassettes sonores** accompagnant le livre et reprenant les passages clefs du feuilleton, les interviews et les exercices oraux du livre,
— **un cahier d'exercices** proposant, pour chaque épisode du feuilleton, une trentaine d'exercices répartis en quatre sections,
— **une cassette sonore** accompagnant le cahier d'exercices,
— **un guide** pour le professeur.

• Public

« Avec plaisir » 2 s'adresse :
— aux étudiants ayant étudié « Avec plaisir » 1,
— à des étudiants ayant suivi un minimum de 150 heures de cours avec une autre méthode,
— à des étudiants « avancés » désireux d'observer, d'analyser et de pratiquer tous les aspects, verbaux et non verbaux, de la communication orale en français dans des situations authentiques.

INTRODUCTION

• Principes et objectifs

Seule **la vidéo** permet, actuellement, de présenter la communication de manière authentique et complète. L'apprenant comprend d'abord en observant le non verbal (situation, comportement des personnages, relations entre ces personnages, logique de l'action, environnement culturel). Cette compréhension facilite l'apprentissage des actes de parole et des formes de la langue. À tout moment, l'apprenant connaît le sens de ce qu'il étudie car il peut se référer directement à des situations réelles. C'est pourquoi la vidéo est **un support vivant, riche et motivant,** désormais indispensable à tout apprentissage de la communication orale.
De plus, la vidéo est d'**une très grande souplesse d'utilisation.** Elle permet de faire varier la durée et la nature des visionnements (feuilleton entier ou séquence courte, avec ou sans le son), d'arrêter sur une image, de reprendre la même séquence plusieurs fois pour en étudier des aspects différents, etc.

Un ensemble multi-media intégré

Mais la vidéo ne peut servir à tout. Ce n'est qu'un élément, privilégié, dans la méthode. L'apprenant trouvera, dans ce livre, dans le cahier d'exercices et dans les cassettes sonores, un ensemble de textes, d'explications, de conseils et d'exercices sans lesquels un apprentissage systématique serait impossible.
Chaque classe, chaque apprenant, peut choisir ses itinéraires d'apprentissage en fonction de ses objectifs propres, de son niveau, du matériel et du temps disponibles.
Certains ont besoin de règles, d'autres d'exercices systématiques, d'autres encore préfèrent une approche plus intuitive. De même, chaque professeur procède selon son style et son tempérament...
Tous trouveront, dans les différentes composantes de l'ensemble «Avec plaisir», la matière, les moyens et les idées qui les aideront à **personnaliser leur apprentissage ou leur enseignement.**

En fin d'ouvrage, on trouvera :
— un résumé grammatical couvrant les niveaux 1 et 2 (pages 140 à 160),
— les réponses aux exercices marqués du signe 🔑 (pages 161 à 166),
— un lexique des mots nouveaux (pages 167 à 171).

Dans ce livre, le signe 📼 indique les différents passages figurant sur les cassettes sonores accompagnant le livre, c'est-à-dire :
- les extraits du feuilleton,
- les interviews des pages «Reportages»,
- les exercices à départ oral des pages «Comprendre les intonations (et les mimiques)».

- **Organisation du livre**

Chacun des dossiers est organisé de la façon suivante :

p. 1
«Objectifs»
«Imaginez l'histoire...»
Préparation au visionnement

pp. 2 à 5
Texte de l'épisode du feuilleton et indications scéniques

p. 6
«Avez-vous bien suivi l'histoire?»
Test de compréhension

pp. 7 et 8
«Reportage»
Interview et documents d'accompagnement

pp. 9 et 10
«Pour comprendre et pour vous exprimer»
Grammaire et actes de parole

p. 11
«Comprendre les intonations (et les mimiques)»
«Construire un texte»

p. 12
Résumé photo de l'épisode du feuilleton

ET MAINTENANT...

Examinez chacun des éléments de l'ensemble pour découvrir sa structure, repérez les différentes rubriques et leur fonction dans l'ensemble.

Travaillez un peu chaque jour et essayez différentes stratégies, différentes manières de travailler. Revenez souvent à la vidéo pour préciser vos observations, confirmer vos hypothèses, tester votre compréhension et vos possibilités dans les situations proposées.

Et rappelez-vous : **vous ne comprendrez pas «tout» du premier coup.**
Travaillez à partir de ce que vous comprenez. L'étude d'une langue est une longue patience!
Et **il n'y a pas qu'une seule façon d'apprendre.** Agissez selon votre tempérament.

ÉMISSION **14**

BIENVENUE SUR LA CÔTE D'AZUR !

OBJECTIFS

Découvrir

- **des lieux** : la ville de Nice, une plage, la terrasse d'un café, un studio de radio
- **des gens** : les personnages principaux du feuilleton (Martine, Laurent, Bernard et M. Duray), Xavier (l'animateur de *Radio-Rivage*), un garde forestier

Apprendre

- **à raconter des événements passés**
- **à décrire des gens**
- **à faire des propositions et des projets, à donner son accord**
- **à se moquer de quelqu'un**

et pour cela, utiliser

— le passé composé (voix active et passive)

— l'imparfait

— le gérondif

IMAGINEZ L'HISTOIRE...

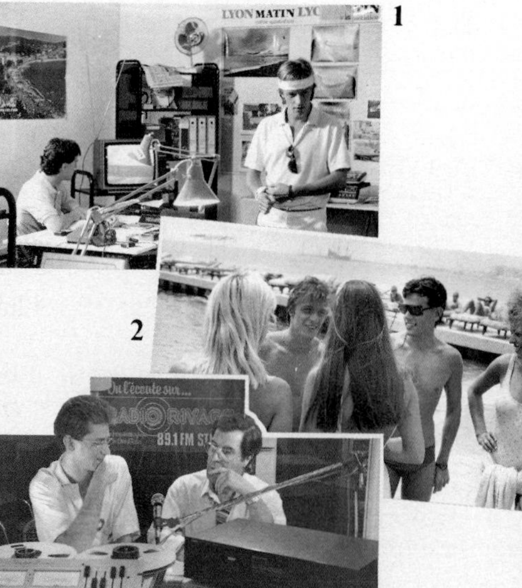

les lieux	l'action	Posez-vous des questions.
1 dans le bureau de *Lyon-Matin*, à Nice	1	Pourquoi Bernard, le photographe, est-il habillé en joueur de tennis?
2 sur la plage	2	Que demandent ces deux jeunes filles à Bernard?
3 dans le studio de *Radio-Rivage*	3	Que fait M. Duray avec Xavier, l'animateur de *Radio-Rivage?*

Martine, Bernard et Laurent sont installés à Nice depuis trois mois.

Ils évoquent quelquefois des souvenirs de leur vie à Lyon et de leur installation à Nice.

PREMIÈRE PARTIE

A Nice, sur la promenade des Anglais

Martine, Laurent et Bernard se promènent en voiture. Certains moments de leur vie à Lyon leur reviennent en mémoire.

M. Duray : Désolé d'avoir interrompu votre reportage, mais... il y a du nouveau.

Laurent : Bon ou mauvais pour nous ?

M. Duray : Bien nous installons un bureau important à Nice... et le Président est d'accord pour y envoyer en mission... mademoiselle Doucet ! Alors j'ai pensé, ma chère Martine, que vous alliez avoir besoin d'un bon rédacteur, Laurent Nicot par exemple, et d'un photographe... Bernard Travers peut faire l'affaire... Qu'en pensez-vous ? Ça vous va ?

Martine (voix off) : ⟨C'est ainsi que Bernard, Laurent et moi, nous sommes à Nice depuis trois mois déjà. Monsieur Duray, le directeur de *Lyon-Matin*, est content de notre travail sur la côte d'Azur. Laurent est toujours aussi travailleur et aussi sérieux. Trop sérieux même, parfois.⟩

Laurent : Qui connaît le musée Gallo-Romain ? Il contient une magnifique table claudienne, unique en France.

Martine (voix off) : ⟨Heureusement, il y a Bernard et ses plaisanteries ! Bernard fait des photos remarquables mais il reste toujours le même : casse-cou, coureur de filles et un peu fou ! ⟩

Bernard : Qu'est-ce que vous faites dans la vie ?

L'Anglaise : Danseuse...

Bernard : Danseuse ! Mais c'est merveilleux ! Alors, je suis bon danseur ?

L'Anglaise : Oh, no...

Bernard (voix off) : ⟨Martine, elle, c'est toujours la « patronne ». C'est une femme de tête qui est aussi, parfois, autoritaire et jalouse ! ⟩

Martine : J'en ai assez ! Vous m'étouffez. J'ai besoin d'air.

Martine (voix off) : ⟨En arrivant à Nice, nous avons commencé par chercher un bureau, pour pouvoir travailler. ⟩

Martine, Laurent et Bernard frappent à une porte. Xavier, un jeune homme, leur ouvre.

Xavier : ⟨Salut. Vous venez pour l'annonce ? Entrez.

Ils entrent dans un studio de radio.

Xavier : Voilà... j'ai ce grand bureau à louer : téléphone, entrée ; pour les dépenses, on fait « moitié-moitié ».

Martine : Et vous faites quoi ici ?

BIENVENUE SUR LA CÔTE D'AZUR !

Xavier : Moi... c'est *Radio-Rivage*! Une radio libre. Je fais tout : présentateur, technicien, producteur. C'est sympa mais c'est dur!

Martine : Et vous voulez louer la moitié de vos bureaux?

Xavier : C'est ça.

Laurent : Combien?

Xavier : Cinq mille francs par mois. Et vous faites quoi, vous?

Martine : Journalistes.

Laurent : Nous sommes les correspondants de *Lyon-Matin* à Nice et sur la côte d'Azur.

Xavier : On pourrait peut-être trouver une solution.

Bernard : Comment?

Xavier : Si vous m'aidez pour ma radio : quelques reportages, tenir l'antenne... vous paierez moins! Qu'est-ce que vous en pensez?

Martine : Trois mille francs de loyer et vous avez trois reporters pour *Radio-Rivage*, qui travailleront gratuitement, bien sûr. Ça va?

Xavier : D'accord! Ça marche! ⟩

Laurent : Attends, il faut en parler à Duray!

Martine : Duray, j'en fais mon affaire!

Quelques mois plus tard

Martine, Laurent et Bernard sont installés dans leur nouveau bureau.

Martine : Laurent?... Tiens.

Martine et Laurent voient à la télévision un reportage sur les incendies de forêts.

Télévision (voix off) : Depuis ce matin à l'aube, les avions Canadair et les pompiers de tous les départements du Midi luttent contre le terrible incendie qui ravage le massif du Tanneron. Trois cents hectares de forêts et de maquis ont déjà été détruits. Plusieurs villas sont menacées dans le petit village des Adrets. Nous reviendrons, bien entendu, sur ces terribles incendies de forêts dans notre journal de treize heures.

Laurent : Toutes nos forêts s'en vont en fumée. Si ça continue, tout va brûler! Il ne va plus rester un seul arbre! Ce n'est pas possible!

Bernard entre en tenue de tennis.

Martine : ⟨ On pourrait savoir pourquoi tu t'habilles en joueur de tennis? Tu ne sais même pas tenir une raquette!

Bernard : Je m'habille comme je veux!

Laurent : Et puis, ça plaît aux filles!

Bernard : Qu'est-ce qu'il a? Il est de mauvaise humeur?

Martine : Laurent vient de voir un reportage sur les incendies de forêts. Ça le rend triste, et ... il y a de quoi!

Bernard : Bon... allons à la plage. Ça te changera les idées. ⟩

Xavier (au micro) : La mer, le soleil, la plage, c'est *Radio-Rivage*.

Martine : Eh bien, nous, on y va à la plage. A ce soir!

DEUXIÈME PARTIE

A la plage

Deux jeunes filles, Sylvie et Virginie, rient en regardant la « une » de* Nice-Matin. *On y voit un joueur de tennis qui ressemble fort à Bernard.

Martine : Ah ! Il fait beau. C'est bien.
Oui, c'est bien !
Venez, il n'y a pas trop de monde.

Sylvie : Tu es sûre que c'est lui ?

Virginie : Mais oui... Je l'ai déjà vu ici. Il vient souvent sur cette plage.

Martine, Laurent et Bernard vont se baigner. Quand ils ressortent de l'eau, Sylvie s'adresse à Bernard.

Sylvie : ⟨Vous pourriez signer votre photo ?

Laurent : Allez, mon vieux, signe ! Quand on est une star comme toi !

Martine : Un grand champion comme toi !

Bernard : Je suis en maillot, là, et je n'ai rien pour écrire... ⟩

Virginie : ⟨Tenez. Signez, ce serait sympa.

Bernard : Vous êtes libres pour... boire un verre avec nous ?

Virginie : Ça alors, ce serait super ! ⟩

Bernard : ...Alors, allons-y.

A la terrasse d'un café

Bernard : Ça me rappelle Roland-Garros, il y a deux ans. Je devais jouer contre MacEnroe, et...

Sylvie : Ecoute, ne te fatigue pas, on a compris ! Tu n'es pas un champion, mais tu es très sympa quand même.

Laurent : Eh bien, bravo ! Tout finit bien. *(au garçon, en désignant les consommations)* S'il vous plaît ! La même chose.

Le garçon : La même chose ?

Laurent : Oui, la même chose.

Le garçon : Donc, deux Coca, deux pastis et un jus d'orange ?

Laurent : Mais oui !

Le garçon : D'accord.

Laurent : *(à Bernard)*
Et c'est toi qui paies !

Bernard : Encore !

On entend au transistor :

Xavier : ⟨*Radio-Rivage* reçoit aujourd'hui monsieur Henri Duray, directeur du grand journal *Lyon-Matin*. Pourquoi ? Eh bien parce que monsieur Henri Duray devient collaborateur de *Radio-Rivage*. Je devrais même dire patron de *Radio-Rivage*.

M. Duray : Oh... ne parlons pas de patron ! Il s'agit d'une association entre *Lyon-Matin* et *Radio-Rivage*. Et cette association sera un lien de plus entre la côte d'Azur et la vallée du Rhône. Et notre grand journal a aussi pour mission d'aider une jeune radio comme *Radio-Rivage*.

Martine : Il faut y aller. ⟩

Sylvie : *(à Bernard)* Bon, j'espère qu'on se reverra...

Virginie : *(Elle regarde Bernard droit dans les yeux.)*
Merci pour les Coca.

Bernard : *(qui rougit un peu)*
Avec plaisir !

Martine : Allez, allez, dépêche-toi !

Laurent : A bientôt !

ÉMISSION

14 BIENVENUE SUR LA CÔTE D'AZUR !

Dans le bureau de *Radio-Rivage*

Martine : Cette nouvelle, mais c'est incroyable !

M. Duray : Je sais, je ne vous ai pas prévenus. Mais... je tenais à garder le secret.

Laurent : Pour une surprise, c'est une surprise !

M. Duray : Mes amis, c'est à cause de vous ! Quand vous m'avez demandé de travailler à *Radio-Rivage*, j'étais un peu contre. *Lyon-Matin* devait passer d'abord. Et puis... je me suis intéressé à votre radio, pas mal faite d'ailleurs ! Et c'est comme ça qu'est née l'idée de l'association *Lyon-Matin - Radio-Rivage*.

Martine : Bravo, patron. C'est formidable !

M. Duray : Je ne sais pas si c'est formidable... mais c'est fait ! Et maintenant, au travail !

Une feuille sort du téléscripteur.

Laurent : *(Il lit.)* Ça recommence ! « Les incendies de forêts redoublent d'intensité dans les Alpes-Maritimes et le Var. Aux dernières nouvelles, trois casernes de pompiers, dont celles de Marseille et de Toulon, sont mobilisées. »

Martine : On ne peut pas rester comme ça à ne rien faire ! Il faut faire quelque chose ! Je ne sais pas, moi, organiser une campagne pour protéger la forêt... ou ce qui en reste, écrire des articles, faire des reportages, en parler, quoi !

M. Duray : Bravo Martine, nous allons lancer cette campagne sur *Radio-Rivage* et sur *Lyon-Matin*. Ce sera notre première opération commune.

Sur une colline déboisée par le feu

Un groupe de personnes replantent des arbres. Bernard arrive en moto.

Bernard : Qu'est-ce qui vous arrive ? C'est le retour à la terre ? Eh ! c'est le nouveau *body-building* ?

Martine : Bon, écoute. Tu te tais, tu prends une pelle... et tu nous aides.

Bernard : Oh ! Ah non... non vraiment, non ! Bon...

AVEZ-VOUS BIEN SUIVI L'HISTOIRE ?

1 Mettez les événements dans le bon ordre.

a. M. Duray explique à ses trois journalistes les raisons de sa décision.
b. Martine, Laurent et Bernard, en tenue de tennis, arrivent sur la plage.
c. Martine loue un bureau dans l'appartement occupé par une radio libre.
d. Quelques personnes replantent des arbres. Bernard arrive en moto.
e. Deux jeunes filles, qui prennent Bernard pour un champion, lui demandent de signer une photo.
f. Laurent voit des images terribles d'incendies de forêts à la télévision.
g. Martine, Laurent et Bernard apprennent par la radio l'association entre *Lyon-Matin* et *Radio-Rivage.*

2 Qui dit ces phrases ?

a. Je m'habille comme je veux.
b. Tu es sûre que c'est lui ?
c. Cette nouvelle, mais c'est incroyable !
d. Mais... je tenais à garder le secret.
e. Si vous m'aidez pour ma radio... vous paierez moins !
f. Et puis, ça plaît aux filles !

3 Comment sont-ils ?

Dites à qui (Martine, Bernard ou Laurent) ces mots correspondent :
a. casse-cou b. autoritaire c. sérieux
d. jaloux e. amusant f. moqueur

4 Vrai ou faux ?

a. Xavier propose aux trois journalistes de travailler pour *Radio-Rivage.*
b. Bernard est un excellent joueur de tennis.
c. Laurent est très impressionné par l'annonce des incendies de forêts.
d. Bernard connaissait déjà les deux jeunes filles.
e. Martine est jalouse que Bernard s'intéresse aux jeunes filles.
f. Les déclarations de M. Duray ne leur causent aucune surprise.

5 Qu'est-ce qu'ils disent ?

REPORTAGE

PROTÉGER LA FORÊT

Poussées par le vent, les flammes faisaient des sauts de 300 mètres... *France-Soir, 25.08.1986*

C'est l'enfer sur la Côte et en Corse ! *France-Soir, 25.08.1986*

Alpes

Un garde forestier dans l'Esterel

L'interviewer

Vous habitez ici ?

M. Bietta

Oui. Je suis garde forestier, comme mon beau-père, qui vivait ici lui aussi. Cette maison, d'autres gardes forestiers l'ont construite en 1877. Et je vis ici avec ma famille, ma femme, mes trois enfants. Et nous avons des chiens... et un cheval... Pepito ! C'est mon meilleur ami. Nous faisons des balades en forêt, ensemble !

L'interviewer

Quel est le rôle d'un garde forestier ?

M. Bietta

Regardez... La forêt domaniale de l'Esterel est située entre la mer et l'autoroute. Elle a à peu près trente kilomètres de long et couvre six mille hectares.
Je m'occupe de cette zone, ici. Environ mille cinq cents hectares. Le danger le plus grand, c'est le feu. Notre premier travail est de protéger la forêt contre les incendies. L'été, quand il fait très chaud, les gardes forestiers patrouillent, jour et nuit, sur tout l'Esterel.
Et on crée des pistes, des points d'eau, des pare-feu.
Et on nettoie, on débroussaille...
Il y a trois cents ans, tout était planté en chênes verts et en chênes-lièges.
... Et puis, on a planté des pins maritimes, il y a cent cinquante ans. Petit à petit, les pins ont tué les chênes ! Les pins, c'est haut et ça laisse passer la lumière. Alors, les fougères et les broussailles ont poussé. Les incendies sont devenus plus fréquents.
En 1964, tout l'Esterel a brûlé !
On essaie de replanter des arbres qui peuvent vivre ici, des cèdres, des eucalyptus, des pins parasols.

L'interviewer

Il y a beaucoup d'animaux dans l'Esterel ?

M. Bietta

Oui... Voilà tous mes voisins !
Les cerfs, d'abord. Il en reste une trentaine. Ce sont des animaux protégés : interdiction de les chasser.
Ceux-là... ont été tués par accident. Et il y a... des sangliers, deux à trois cents.

Et il y a aussi des blaireaux, des fouines, des belettes, des renards... et même des petits aigles !

L'interviewer

Vous aimeriez faire un autre métier ? Si on vous disait de partir d'ici...

M. Bietta

Ah, ça non ! Je suis né à Mandelieu, à dix kilomètres d'ici. Et... j'ai toujours voulu vivre en contact avec la nature...

- Quelle est la plus grande menace pour les forêts de la côte d'Azur ? Pourquoi les gardes forestiers ont-ils un rôle très important à jouer ?
- Un de vos amis part camper en Provence. Faites-lui vos recommandations.

Maritimes : un immense brasier

Situation dramatique entre Nice et l'Italie : routes et voies ferrées coupées, plus de 1 500 personnes évacuées, Menton et Monaco totalement isolés, le Tanneron en flammes.

Nice-Matin, 25.07.1986

La ville de Cannes menacée par les incendies

Message Impérial à Monsieur le Préfet du Var

J'apprends que divers incendies ont éclaté dans les forêts du département dont je vous avais confié l'administration. Je vous ordonne de faire fusiller sur les lieux de leur forfait les individus convaincus de les avoir allumés. Au surplus, s'ils se renouvelaient, je veillerai à vous donner un remplaçant.

Napoléon

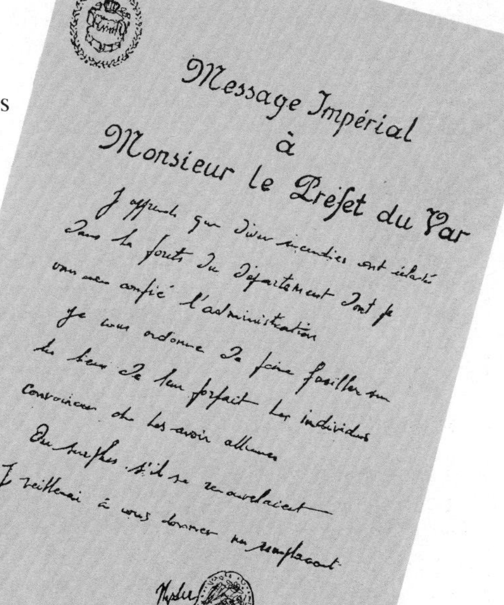

Message Impérial
à
Monsieur le Préfet du Var

EN FORÊT

- Respectez les panneaux de signalisation.
- Ne fumez pas.
- N'allumez pas de feu.
- Ne stationnez pas sur les routes étroites : les pompiers doivent pouvoir passer.
- Ne campez pas.

ÉMISSION **14**

POUR COMPRENDRE ET POUR VOUS EXPRIMER

1 Raconter et décrire des événements passés

Utilisez le **passé composé** pour rapporter :

— des actions ou des événements passés

M. Duray **s'est intéressé** à *Radio-Rivage.* (1)
Il **est venu** à Nice. (2)
Il **a parlé** à Xavier. (3)
L'association **a été créée.** (4)
M. Duray l'**a annoncé** à la radio. (5)

1 2 3 4 5 Présent

Toutes les actions (1, 2, 3, 4, 5) sont situées dans le passé.

Utilisez l'**imparfait** pour décrire :

— des circonstances

Xavier **parlait** au micro (quand M. Duray est arrivé).

— un état de fait

La forêt **brûlait.**

— un état d'esprit

Au début, M. Duray **était** contre le projet. Il **préférait** *Lyon-Matin.*

⚠ L'imparfait sert aussi à exprimer :

→ *une supposition :* Si tu venais... (on pourrait...)
→ *un souhait :* Ah ! si j'étais riche.
→ *une suggestion :* Si on partait !
→ *la répétition d'une action :* Tous les matins, ils allaient travailler.

▶ Un journaliste, qui était là au moment où la forêt brûlait, raconte. Complétez son article (attention aux verbes au passif et à l'accord des participes passés).

Au total, six maisons d'Auribeau ont été entièrement ……, et une dizaine …… . Les familles sinistrées ont été …… par la municipalité. Les deux campings d'Auribeau, l'Hostellerie d'Oscar et la Rivière ont dû être …… . Ils ……, hier matin, presque déserts. Plusieurs tentes et caravanes ont été …… . On n'…… plus, au milieu des décombres, que leurs carcasses métalliques calcinées. Les touristes les ont …… en catastrophe. Ces vacanciers, venus de l'Aisne, ont tout …… : *« Nous étions à la plage,* racontent-ils. *Quand nous sommes ……, il n'…… plus rien. Il ne nous reste que notre voiture. Heureusement que le propriétaire du camping a …… de nous ravitailler et de nous héberger. »*

détruire
endommager
reloger
évacuer
être
brûler
apercevoir
quitter
perdre
rentrer
y avoir
accepter

▶ Racontez l'installation de Martine, Laurent et Bernard à Nice.

▶ Dites ce que Martine, Bernard et Laurent faisaient avant de venir à Nice.

2 Le gérondif

En arrivant à Nice, nous avons cherché un bureau.

même sujet

gérondif = **en** + participe présent du verbe.
Le sujet du gérondif et le sujet du verbe principal doivent être les mêmes.
Le gérondif peut exprimer : le temps, le moyen, la manière, la cause.

Ils ont trouvé un bureau **en lisant** les petites annonces. → *moyen*
En discutant avec Xavier, ils sont arrivés à un accord. → *cause*

▶ Remplacez les phrases soulignées par une expression au gérondif.

Ex. : Ils sont allés voir Xavier. Ils espéraient louer un bureau.
→ En allant voir Xavier, ils espéraient louer un bureau.

a. Xavier a loué ses bureaux. Il a trouvé de l'aide pour sa radio.
b. Ils ont proposé un accord. Ils se sont engagés à aider Xavier.
c. Ils sont allés à la plage. Ils ont parlé.
d. Ils sont entrés dans les bureaux de *Radio-Rivage*. Ils ont vu Xavier.

3 Décrire les gens

Il / Elle	a	les cheveux noirs.
		les yeux marron.
		la taille fine.
C'est	un	champion de tennis.
		coureur de filles.
	une	femme de tête.
		personne de confiance.
Il / Elle	porte	un pantalon.
		des lunettes.

▶ En vous aidant de votre dictionnaire, trouvez des adjectifs de sens contraire.

Ex. : Il est gai. / Il est sérieux.

a. Elle est imprudente.
b. Elle est paresseuse.
c. Il est poli.
d. Il est désagréable.
e. Elle est amusante.

▶ Un de vos amis n'a pas encore vu *Avec Plaisir*. Décrivez-lui les personnages.

Vous pouvez aussi comparer les gens à des animaux...

fort comme un bœuf

malin comme un singe

têtu comme un âne

bête comme une oie

doux comme un agneau

• Comprendre les intonations

Un personnage dit une phrase deux fois, chaque fois avec une intonation différente.
Quel sens donne l'intonation à la phrase ?
Mettez une croix dans la colonne correspondante.

Ex. : Martine : « Monsieur Duray, j'en fais mon affaire. »

réplique	1	2
Martine a peur de M. Duray.	X	
Martine n'a pas peur de M. Duray		X

a. Laurent : « Et c'est toi qui paies. »

réplique	1	2
Laurent est gentil avec Bernard.		
Laurent n'est pas gentil avec Bernard.		

b. Laurent : « Pour une surprise, c'est une surprise. »

réplique	1	2
Laurent est content.		
Laurent n'est pas content.		

c. Martine : « Tu prends une pelle et... tu nous aides. »

réplique	1	2
Martine donne un conseil.		
Martine donne un ordre.		

• Construire un texte

1 Les trois phrases suivantes décrivent une des photos de la page 17.
1. Martine discute avec Xavier.
2. Martine veut louer des bureaux pour *Lyon-Matin.* Elle discute avec Xavier.
3. Martine, la jeune directrice du bureau de *Lyon-Matin* à Nice, veut louer des bureaux pour *Lyon-Matin.* Elle discute avec Xavier, le patron de *Radio-Rivage.*

   a. Quelle est la photo décrite ?
   b. Quelles différences y a-t-il entre les trois phrases ?

2 Cherchez des idées.
Pour chacune des photos de la page 17, dites
— où se passe la scène,
— qui sont les personnages,
— ce que les personnages disent ou font.

3 Regardez la photo n° 5 et dites ce que pensent Sylvie et Virginie.

4 Pour chacune des photos de la page 17, écrivez une phrase.

14

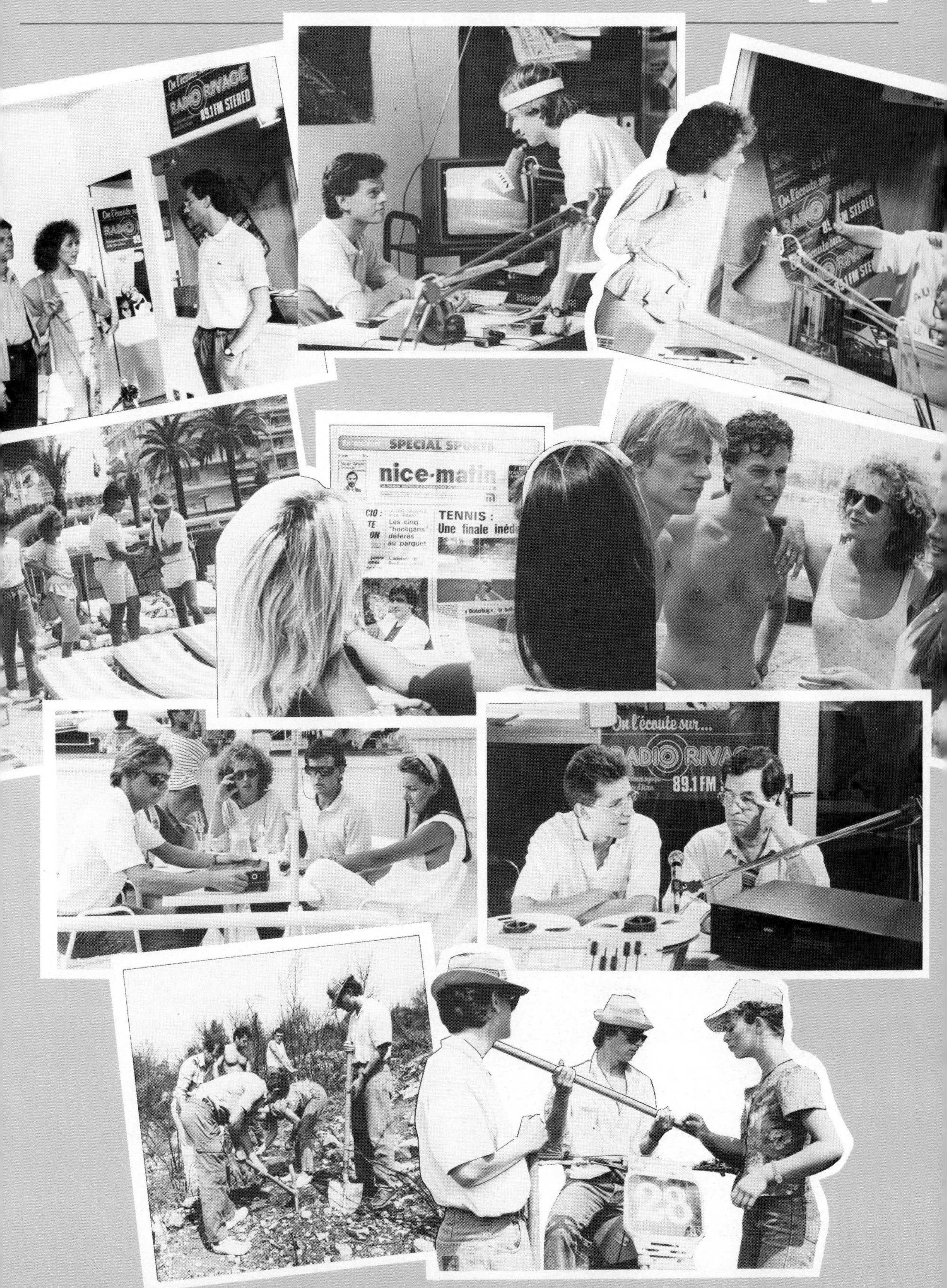

RADIO RIVAGE
89.1 FM STEREO
En couleurs SPECIAL SPORTS
nice-matin
TENNIS :
Les cinq "hooligans" déférés au parquet
On l'écoute sur...
89.1 FM
28

ÉMISSION **15**

COMME ÇA SENT BON !

OBJECTIFS

Découvrir

- **des lieux** : une parfumerie de Grasse
- **des gens** : une hôtesse d'accueil, un « nez », un horticulteur

Apprendre

- **à comparer**
- **à faire des reproches**
- **à demander à quelqu'un de faire quelque chose**
- **à accepter et à refuser**

et pour cela, utiliser

— les formes de la comparaison

— des adverbes de manière

— les pronoms démonstratifs

— l'interrogation directe

IMAGINEZ L'HISTOIRE...

les lieux	l'action	Posez-vous des questions.
1 dans l'appartement de Laurent et Bernard	1	Laurent et Bernard sont-ils en train de se disputer ?
2 à la parfumerie Molinard, à Grasse	2	Que fait Bernard dans une usine de parfums ?
3 au bureau de *Lyon-Matin*	3	Bernard parle à Martine. Pourquoi a-t-elle l'air fâché ?

15

Martine est à l'antenne de "Radio-Rivage"
et on ne peut pas la déranger.
C'est le jour de repos de Laurent.
Bernard doit donc faire face, seul,
aux exigences de M. Duray...

PREMIÈRE PARTIE

Dans le studio de *Radio-Rivage*

Xavier : Le soleil, la mer et la plage, c'est *Radio-Rivage.* Comme chaque jour, nos informations régionales.

Martine : Commençons par une bonne nouvelle : cette année encore, nous avons beaucoup de touristes étrangers sur la côte d'Azur. Ils sont même plus nombreux que l'an dernier.
Il y a, actuellement, autant de touristes italiens, belges et anglais. Mais nous avons plus d'Allemands et d'Américains que l'an dernier.

Le téléphone sonne.

Bernard : Allô ! oui.
Monsieur Duray ? Oui. Martine Doucet ? Non, je ne peux pas vous la passer. Elle est en direct sur l'antenne.

M. Duray : Bon, ça ne fait rien. Dites-moi, ce reportage sur la fabrication des parfums à Grasse, je l'attends toujours ! Vous allez le faire quand ?

Bernard : *(gêné)*
On a beaucoup de travail en ce moment, Monsieur, mais... mais nous nous sommes déjà documentés et...

M. Duray : Mais je ne veux pas le savoir. Il me faut ce reportage pour jeudi soir. Ça passera dans la page « Magazine » de samedi. Et je veux un article plus long que celui de la dernière fois. Et de meilleures photos !

Bernard : Pas de problème, Monsieur. Vous pouvez être certain que ça sera fait... Oui..., oui... Au revoir, Monsieur.

M. Duray : Parfait.

Martine : Le soleil, la mer, la plage, c'est *Radio-Rivage.*

Dans l'appartement de Laurent et Bernard

Bernard : Vite, Duray veut le reportage pour jeudi !

Laurent : Quel reportage ? Celui sur la pêche ?

Bernard : Mais non, pas celui-là, l'autre. Celui des parfums. Il faut aller à Grasse tout de suite !
Tu viens ? On prend ma voiture.

Laurent : Pas question ! Aujourd'hui, c'est mon jour de repos et je n'en ai qu'un par semaine. Demande à Martine !

Bernard : Martine, elle est à la radio, en direct !

Laurent : Non, mais ce n'est pas vrai ! On ne peut jamais être tranquille ! Je ne travaille pas aujourd'hui.

Bernard : Bon ! D'accord, comme tu veux, je me débrouillerai tout seul, comme d'habitude !

Laurent : Tu as pris contact avec une parfumerie, au moins ?

Bernard : Bien sûr.

Laurent : Laquelle ?

Bernard : La parfumerie Molinard, ça te va ?

Laurent : Oui, c'est celle que j'aurais choisie. Vas-y ! Et n'oublie pas qu'on partage cet appartement ! Tu pourrais m'aider, non ? C'est ton tour de faire le ménage ! C'est toujours pareil ! C'est moi qui fais tout ici !

Bernard : Eh... ça va ! ...Ça va !

ÉMISSION

15 COMME ÇA SENT BON !

A Grasse, dans le bureau d'accueil de la parfumerie Molinard

La jeune femme chargée des relations publiques accueille Bernard.

Bernard : Ah ! bonjour.
Bernard Travers, de *Lyon-Matin.*

Mlle Fontana : *(très souriante)*
Ah ! oui, *Lyon-Matin,* bonjour.

Bernard : Bonjour.

Mlle Fontana : ⟨ Qu'est-ce qui vous intéresse exactement chez nous ?

Bernard : Je voudrais faire un article et quelques photos pour mon journal : raconter l'histoire d'un parfum, du début à la fin. Vous pouvez faire quelque chose pour moi ?

Mlle Fontana : Eh bien, écoutez, on va voir. Suivez-moi. Ecoutez, il va nous falloir plusieurs heures, et... aujourd'hui, ça ne me paraît pas possible...
Prenons rendez-vous pour demain matin, si vous voulez, et puis je pourrai m'occuper personnellement de vous. Neuf heures, ça vous va ?

Bernard : Eh bien, d'accord pour demain. Mais ne m'oubliez pas, cette fois ! ⟩

Mlle Fontana : Promis ! Et puis tenez, *(Elle prend un atomiseur et vaporise Bernard.)* un souvenir de votre visite chez nous !

Bernard : D'accord.

Mlle Fontana : *(Elle rit.)*
A demain !

Bernard : Oui, c'est ça. A demain.

A Nice

Bernard rentre dans le bureau.

Martine : *(fatiguée)*
⟨ Ah ! te voilà.
...Je suis morte de fatigue ! Une journée au studio, devant le micro. Et toi, qu'est-ce que tu as fait ?
Mais, viens là. Mais, qu'est-ce que tu sens ?

Bernard : Moi ? Ah oui !... voilà...

Martine : Mais qu'est-ce que ça veut dire ? Mais avec qui étais-tu ?

Bernard : Je suis parti en reportage. Pour te rendre service ! Pour calmer Duray ! ⟩

Martine : Ah ! Je t'en prie, le coup du reportage, tu me l'as déjà fait !

Bernard : Tu étais à l'antenne quand Duray a téléphoné. Il veut le reportage sur les parfums tout de suite. C'est pourquoi je suis allé à Grasse !
(Il voit Laurent qui entre.)
⟨ Ah, te voilà, toi !

Laurent : Je ne fais que passer, je ne travaille pas aujourd'hui !

Bernard : Bon, d'accord. Mais dis-lui, toi, que j'étais en reportage.

Laurent : *(avec une parfaite mauvaise foi)*
Moi ? Je ne sais rien.
Moi, je ne suis au courant de rien !

Bernard : Mais ce n'est pas vrai ! Mais tu savais que j'allais à Grasse. Tu me paieras ça, toi ! ⟩

DEUXIÈME PARTIE

A Grasse, à la parfumerie Molinard

Mademoiselle Fontana attend Bernard.

Mlle Fontana : Merci, Erica.
(à Bernard)
⟨ Vous êtes à l'heure, bravo.

Bernard : Normal ! On ne fait pas attendre une jolie femme !

Mlle Fontana : Alors, allons-y ! Suivez-moi.

Devant la jeep de mademoiselle Fontana

Mlle Fontana : Montez, je vous emmène. Nous allons prendre l'histoire par le commencement.

La jeune femme s'installe au volant de la jeep.

Bernard : Qu'est-ce qu'une charmante jeune femme peut faire d'une voiture grosse comme ça ?

Mlle Fontana : Ce qu'elle peut faire, la charmante jeune femme, vous allez voir ! ⟩

Quelques instants plus tard

Mademoiselle Fontana prend ses virages à toute vitesse

Mlle Fontana : Voilà ce qu'une charmante jeune femme peut faire avec une grosse voiture comme ça !

Bernard : *(Il a du mal à retrouver la parole.)*
Moi, à votre place, je conduirais peut-être un peu moins vite.

La jeune femme et Bernard descendent de voiture.

L'horticulteur : Bonjour, mademoiselle Fontana.

Mlle Fontana : Bonjour, monsieur Orsoni. Je vous présente... *(Elle cherche le nom.)*

Bernard : Bernard Travers, de *Lyon-Matin.*

L'horticulteur : Bonjour. On y va ?

Mlle Fontana : Oui, d'accord.
L'histoire d'un parfum commence ici...

L'horticulteur : Vous voyez cette fleur. Elle a demandé bien du travail. Il en faut des milliers comme elle pour un simple petit flacon de parfum.

Bernard (voix off) : La fabrication d'un parfum était pour moi un mystère. Comment pouvait-on transformer une fleur en un précieux liquide ? C'est ce que la suite de mon enquête avec mademoiselle Fontana allait m'apprendre.

Une heure plus tard

Bernard : *(à l'horticulteur)*
Merci, Monsieur. A bientôt...

L'horticulteur : De rien. A bientôt.
Au revoir, Mademoiselle.

Bernard et la jeune femme remontent dans la jeep.

Bernard : ... Conduisez un peu plus doucement cette fois !

Mlle Fontana : *(Elle rit.)*
D'accord.

ÉMISSION **15**

COMME ÇA SENT BON!

A la parfumerie

Mlle Fontana : Ici, les parfums vieillissent un peu comme les bons vins.
(un temps) Les parfums se composent de plusieurs essences. Mais les formules sont des secrets bien gardés. Venez voir.

Mlle Fontana : Je vous présente monsieur Langlois. Monsieur Langlois est notre « nez », le meilleur « nez » de Grasse.

Bernard : Un « nez » ?

M. Langlois : Oui.
C'est tout à fait exact, on nous appelle des « nez » ! Notre travail consiste à créer de nouveaux parfums à partir de plusieurs essences. Nous sommes même capables de reconnaître des dizaines et des dizaines d'odeurs différentes.

Bernard : *(étonné)*
C'est vrai ?

M. Langlois : Ah ! absolument.

Mlle Fontana : *(à M. Langlois)*
⟨ Fermez les yeux...

La jeune femme fait sentir plusieurs parfums au « nez ».

M. Langlois : Extrait de romarin.

Mlle Fontana : Exact.
Et celui-ci ?

M. Langlois : Attendez. Ah ! ça... ça, ça ressemble à du citron vert du Mozambique. Vous permettez ? C'est bien ça, c'est du citron vert.

Mlle Fontana : Exact.
Et celui-ci ?

M. Langlois : Ambre, c'est celui qui a dix ans d'âge.

Bernard : Formidable ! Et je peux essayer, moi ? Mais pas les mêmes ! Non, quelque chose de plus simple ... bien sûr.

Bernard veut essayer lui aussi, mais fait tomber une fiole. Le parfum se répand sur lui.

Bernard : Je suis désolé !

Mlle Fontana : *(Elle éclate de rire.)*
Eh bien, vous allez sentir bon et pour longtemps ! ⟩

Dans le bureau, à Nice

Bernard entre. Il sent le parfum.

Martine : ⟨ Qu'est-ce que c'est encore que ce nouveau parfum ?

Bernard : Oh ! Ça ne va pas recommencer ! Je t'ai déjà dit que je faisais un reportage à Grasse. Et, j'ai un petit cadeau pour toi...

Bernard tend un flacon de parfum à Martine.

Martine : Si tu crois t'en tirer avec un cadeau ! On ne m'achète pas, moi ! Allez, je ne veux plus t'écouter. Va retrouver tes petites amies !

Bernard : Bon ! D'accord.

Martine prend le flacon et le lance contre un mur.

Bernard : Allez donc rendre service ! ⟩

AVEZ-VOUS BIEN SUIVI L'HISTOIRE ?

1 Mettez les événements dans le bon ordre.

a. Bernard renverse un flacon de parfum.
b. Le « nez » identifie des parfums les yeux fermés.
c. Bernard retourne à la parfumerie Molinard le lendemain.
d. Bernard demande à Laurent de l'aider à faire le reportage.
e. Martine sent, sur Bernard, un parfum qu'elle ne connaît pas.
f. Mlle Fontana emmène Bernard chez un horticulteur.
g. M. Duray téléphone pour réclamer un reportage sur les parfums.
h. Mlle Fontana et Bernard visitent les installations de la parfumerie.

2 Qui dit ces phrases ?

a. Ce reportage... je l'attends toujours !
b. Vous pouvez être certain que ce sera fait...
c. C'est toujours pareil ! C'est moi qui fais tout ici !
d. Je t'en prie, le coup du reportage, tu me l'as déjà fait !
e. Notre travail consiste à créer de nouveaux parfums...

3 Que font les personnages quand ils disent ces phrases ?

a. Comme chaque jour, nos informations régionales.
b. Non, je ne peux pas vous la passer.
c. Promis ! Et puis tenez, un souvenir de votre visite chez nous !
d. Ce qu'elle peut faire, la charmante jeune femme, vous allez voir !
e. Ambre, c'est celui qui a dix ans d'âge.

4 Vrai ou faux ?

a. Bernard dit à M. Duray que Martine s'est déjà occupée du reportage.
b. Martine ne sait pas où Bernard est allé.
c. Bernard ne dit pas la vérité à Martine.
d. Mlle Fontana donne à Bernard des formules de parfum.
e. L'horticulteur est le meilleur « nez » de Grasse.
f. La jeune femme rit quand Bernard renverse le flacon de parfum.

5 Qu'est-ce qu'ils disent ?

LE PARFUM : UNE LONGUE HISTOIRE...

Un horticulteur

L'interviewer

Bonjour, Monsieur.
Vous ne produisez que des roses ?

M. Gazagnaire

Exact. Moi, je ne fais que des roses. J'ai cinq mille mètres carrés de serres, et j'ai planté plusieurs variétés.

L'interviewer

Pourquoi des roses, et pourquoi seulement des roses ?

M. Gazagnaire

Parce que moi, personnellement, j'aime la rose. Mes parents en faisaient aussi. D'autres font des œillets, du jasmin, des plantes en pot. Moi, c'est la rose !

L'interviewer

Elles poussent mieux, les roses, quand vous êtes avec elles ?

M. Gazagnaire

Ça, c'est bien vrai. Les fleurs, il faut s'en occuper tout le temps. Voici mes plus belles variétés : l'Omega... vous voyez la tige a de cinquante à quatre-vingts centimètres et elle est bien droite ; la Visa, de couleur rouge foncé ; la Lancôme... et la Malicorne, de couleur orange.

L'interviewer

Et vous ne faites que des fleurs d'ornement ? Vous ne vendez pas aux parfumeries de Grasse?

M. Gazagnaire

Si. Mais ce sont des roses différentes, les roses de mai. Elles poussent en plein air. On les cueille en mai, et seulement le bouton. On ne coupe pas la tige. Vous voyez mon exploitation, nous travaillons douze mois sur douze. Il y a toujours quelque chose à faire. D'abord, il faut préparer la terre... l'enrichir avec les engrais nécessaires ; et puis il faut planter les rosiers.

Un rosier, ça ne donne des fleurs que cinq ou six ans. Après, on essaie de nouvelles variétés... les goûts changent, même pour les roses... Ensuite, il faut structurer les rosiers.

L'interviewer

Structurer ?

M. Gazagnaire

Oui, regardez. On pince le sommet des jeunes tiges pour que la tige se divise, se ramifie. Comme ça, on peut avoir un maximum de fleurs sur un même pied.
Il faut protéger le pied contre les maladies et les parasites. Je traite tous mes rosiers une fois par semaine en ce moment. Et puis, il faut supprimer des boutons, soutenir les pieds avec des tuteurs et des ficelles, arroser...
Enfin, il faut cueillir la rose !

L'interviewer

Et vous avez des fleurs toute l'année ?

M. Gazagnaire

Oui, dans les serres que je chauffe. Mais ça coûte très cher, et il faut des installations modernes, comme celle-là.

L'interviewer

Et quand vous avez coupé vos roses, on vient vous les chercher ?

M. Gazagnaire

Oh non ! Ce n'est pas fini. Je classe les roses par longueur de tige, de dix en dix centimètres... cinquante, soixante, soixante-dix, quatre-vingts centimètres. Après, je fais des paquets de vingt, et je les mets dans l'eau pendant vingt-quatre heures. Et après, je les descends à Nice.

Vue générale de Grasse

Au XIIIe siècle, la ville de Grasse était la grande concurrente de l'Espagne pour le parfum. Le jasmin à grandes fleurs, venu de Chine, faisait la célébrité et la prospérité de la région. Aujourd'hui, Grasse est le centre international du parfum, avec ses 92 parfumeurs qui emploient 3 300 personnes et exportent pour plus de 700 millions de francs.

Est-ce que vous savez vous parfumer ?

- Mettez un peu de parfum sur votre main et attendez quelques secondes. Vous avez une première impression...
- Attendez encore. Vous avez une seconde impression, souvent différente de la première.
- Après quelques heures, il ne restera que le «cœur» du parfum. C'est alors seulement que vous pourrez vraiment choisir.

Parfum ou eau de toilette ?

- Le parfum, ou «extrait», s'utilise en général le soir.
- L'eau de toilette, plus légère et donc plus discrète, convient mieux dans la journée.

Prenez le parfum qui vous plaît, qui s'adapte à votre type.
Faites confiance à votre instinct !

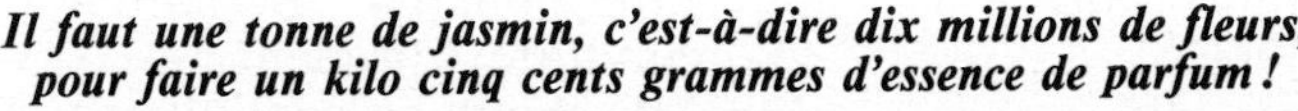

Il faut une tonne de jasmin, c'est-à-dire dix millions de fleurs, pour faire un kilo cinq cents grammes d'essence de parfum !

- La fleur avant le parfum : quels soins particuliers l'horticulteur doit-il apporter aux fleurs qui seront vendues pour faire du parfum ?
- Pourquoi le parfum est-il cher ?
- Vous voulez vendre des parfums ; imaginez des slogans publicitaires.

POUR COMPRENDRE ET POUR VOUS EXPRIMER

1 Exprimer la manière

— avec un adverbe simple	bien/mal, bon/mauvais, juste/faux vite, dur, fort	
— avec un adverbe dérivé d'un adjectif (adjectif + **-ment**)	facile → facilement joli → joliment direct → directement	gentil → gentiment différent → différemment prudent → prudemment
— avec une locution	à pied, en voiture, en courant, en chantant, de façon charmante, de façon prudente	

▶ En vous aidant de votre dictionnaire, cherchez les adverbes de manière qui correspondent aux adjectifs suivants. Faites bien attention à l'orthographe.

agréable - amical - bon - brusque - calme - dangereux - difficile - dur - franc - régulier - lent - mauvais - nouveau - sincère - prudent - violent

Quelles modifications orthographiques avez-vous remarquées ?

2 Comparer

			nom		
1. Il y a	**moins** **autant** **plus**	**de**	touristes	**que**	l'an dernier. d'habitants.

		adverbe		
2. Conduisez	**moins** **aussi** **plus**	doucement vite	**que**	la première fois. moi.

▶ Comparez votre ville ou votre pays cette année et l'année dernière.

Ex. : Il y a autant de voitures dans les rues que l'an dernier.
Les voitures vont aussi vite.

▶ Comparez la façon dont les personnages agissent.

Ex. : Mlle Fontana / Bernard - conduire / prudent
→ Mlle Fontana conduit moins prudemment que Bernard.

a. Mlle Fontana / Bernard - conduire / dangereux
b. Bernard / Laurent - travailler / dur
c. Bernard / Laurent - parler / franc
d. Martine / Laurent - se mettre en colère / violent

3 Désigner, préciser

Quel parfum ? Celui-ci.
Celui qui a dix ans d'âge.
Celui de la dernière fois.

	masculin	féminin
singulier	celui	celle
pluriel	ceux	celles

Celui, celle, ceux, celles sont toujours suivis de :
« -ci/là, de » ou d'un relatif.

▶ Dites ce que veut monsieur Duray.

Ex. : article/long
→ Il veut un article plus long que celui de la dernière fois.

a. reportage/intéressant.
b. photos/bonnes.
c. titres/sérieux.
d. histoires/amusantes.

4 Interroger

– *sur le sujet*

Laurent et Bernard vont à Grasse.
↓
Qui **va** à Grasse ?

⚠ « Qui ? » s'emploie toujours avec un verbe au singulier.

Pour interroger :
(1) remplacer le mot ou le groupe de mots par l'expression interrogative ;
(2) mettre l'expression interrogative en tête de phrase ;
(3) ajouter *est-ce que* (si le sujet est un nom ou un pronom, on peut faire l'inversion sujet-verbe).

– *sur l'attribut*

Martine est autoritaire.

Martine est **comment** ?
(1)

(2)
Comment est Martine ?

– *sur le groupe du verbe*

Il reconnaît les parfums.

Il fait **quoi** ?
(1)

(2) (3)
Qu'est-ce qu'il fait ?

Ils sont trois.

Ils sont **combien ?**
(1)

(2)
Combien sont-ils ?

⚠... quoi ? → Qu(e)... ?

– *sur le complément d'objet direct*

Il sait reconnaître les parfums.

Il sait reconnaître **quoi** ?
(1)

(2) (3)
Qu'est-ce qu'il sait reconnaître ?

▶ Posez des questions sur l'émission 15 à un de vos camarades.

Ex. : Qui est Mlle Fontana ?

▶ Complétez ce tableau.

Ex. :

Elle vient demain.	Elle vient quand ?	Quand vient-elle ?
		Où est-il allé ?
	M. Duray veut quoi ?	
Mlle Fontana est dynamique.		
Elle raconte l'histoire.		

ÉMISSION **15**

• Comprendre les intonations

1 Un personnage dit une phrase trois fois, chaque fois avec une intonation différente.
Quel sens donne l'intonation à la phrase?
Mettez une croix dans la colonne correspondante.

a. *Laurent :* « C'est ton tour de faire le ménage. »

réplique	1	2	3
surprise			
simple constatation			
reproche			

b. *Martine :* « Mais... qu'est-ce que tu sens ? »

réplique	1	2	3
simple constatation			
soupçon			
colère			

c. *Bernard :* « Moi, à votre place, je conduirais un peu moins vite. »

réplique	1	2	3
ironie			
peur			
simple conseil			

2 Dites si les questions suivantes sont du *type a* ou du *type b.*
Type a : Vous posez une simple question. Par exemple : « Qu'est-ce que tu as fait ? »
Type b : Vous reposez la même question (vous n'avez pas entendu ou compris la réponse à votre première question) : « Qu'est-ce que tu as fait ? »

1. Qu'est-ce qui vous intéresse chez nous ?
2. Qu'est-ce que ça veut dire ?
3. Vous allez le faire quand ?
4. Avec qui étais-tu ?
5. Qu'est-ce que c'est que ce parfum ?

• Construire un texte

1 Cherchez des idées.
Pour chacune des neuf photos de la page 29, dites
— où se passe la scène,
— qui sont les personnages,
— ce que les personnages disent ou font.

2 Examinez la photo n° 9. Que dit et que pense Bernard ?

3 Pour chacune des photos de la page 29, écrivez une phrase.

15

ÉMISSION **16**

VRAI OU FAUX ?

OBJECTIFS

Découvrir

- **des lieux** : le musée Matisse à Nice, la vieille ville d'Antibes, une galerie de peinture
- **des gens** : des peintres, le conservateur du musée Matisse

Apprendre

- **à situer des personnes et des objets**
- **à accepter ou à refuser de faire quelque chose**
- **à exprimer la quantité**

et pour cela, utiliser

— des prépositions, des adverbes de lieu
— différentes constructions verbales
— des adverbes de temps
— des temps du passé
— le pronom *en*

IMAGINEZ L'HISTOIRE...

les lieux	l'action	Posez-vous des questions.
1 dans une rue d'Antibes	1	Que demandent Laurent et Bernard à ce peintre?
2 dans le jardin d'une maison	 2	Pourquoi Laurent surveille-t-il la maison?
3-4 dans une exposition de peinture	 3 4	Martine veut-elle acheter un tableau?
		Laurent se bat pour défendre Martine?

16

Un reportage sur les peintres de la côte d'Azur, c'est certainement une bonne idée. Mais on peut avoir des surprises...

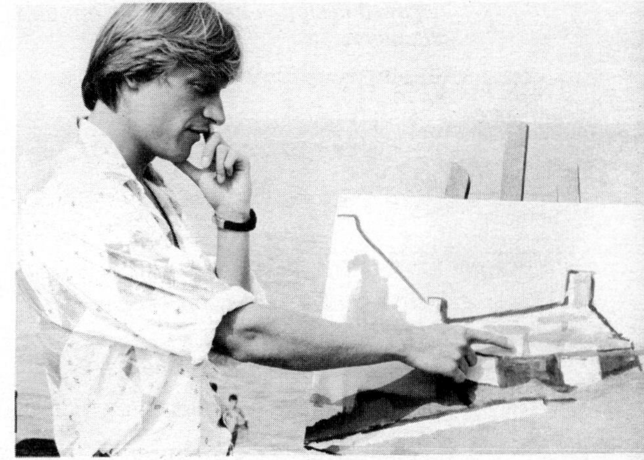

PREMIÈRE PARTIE

Chez Martine, à Nice

Laurent et Bernard regardent des reproductions de tableaux.

Laurent : *(à Martine)*
Picasso, Miró, Matisse, Fernand Léger... Dis donc, ça marche bien pour toi !

Martine : *(Elle rit.)*
Idiot, tu vois bien que ce sont des reproductions !

Bernard : Et celle-là ?

Martine : Ça ? Ah ça ! c'est ma dernière acquisition : « Jeune Fille au salon », de Matisse !

Laurent : C'est fou le nombre de musées qu'il y a sur la Côte. La fondation Maeght à Vence... le musée Picasso à Vallauris, le musée Picasso à Antibes...

Bernard : Le musée Fernand Léger à Biot... le musée Matisse à Nice...

Martine : Dites, les musées c'est bien, mais il y a beaucoup de jeunes peintres sur la côte d'Azur. On pourrait faire un reportage sur eux ?

Laurent : Je suis désolé, mais la peinture ce n'est pas vraiment un sujet pour la radio !

Martine : Mais pas pour *Radio-Rivage*, pour *Lyon-Matin*. Un grand article avec photos. Laurent, tu pourrais t'en occuper ?

Laurent : Bon, d'accord. On y va, Bernard ?

Bernard : Tout de suite ?

Laurent : Pourquoi pas tout de suite ?

Dans la vieille ville d'Antibes

Laurent et Bernard s'approchent d'un peintre.

Laurent : Bonjour.

Le peintre : Bonjour.

Laurent : Nous sommes journalistes. Vous voulez bien répondre à quelques questions ?

Le peintre : Avec plaisir.

Laurent : Vous êtes peintre de profession ?

Le peintre : *(en souriant)*
Non, ce n'est pas une profession, c'est un plaisir !

Laurent : Mais, ça ne vous dérange pas de m'expliquer ?
De quoi est-ce que vous vivez ?

Le peintre : *(Il éclate de rire.)*
De ma peinture ! Mais pas très bien !

Laurent : Qu'est-ce que vous peignez ?

Le peintre : La mer, toujours la mer...
Oh ! J'aimerais bien peindre autre chose. Ce n'est pas possible. Les touristes ne veulent que la mer ! Ils n'achètent que s'il y a la mer, souvenirs de vacances, que voulez-vous !

ÉMISSION **16**

VRAI OU FAUX ?

Bernard désigne une jeune fille qui peint, elle aussi.

Laurent : Et cette jeune fille, vous la connaissez ?

Le peintre : C'est Sarah !
Elle est fada !

Laurent : Fada ?

Le peintre : Eh oui, fada !

Laurent : Merci.

Laurent et Bernard s'approchent de la jeune fille.

Sarah : ⟨Qu'est-ce que vous en pensez ?

Laurent : *(gêné)*
C'est très intéressant.
Ça montre quoi ?

Sarah : La mer ! Là, devant, une fille sur les rochers et, derrière, la mer avec des bateaux dessus !

Laurent : Oui, c'est... c'est tout à fait ça ! ⟩
Très bien, merci. Vous êtes très aimable.
Au revoir.

Sarah : Au revoir.

Laurent et Bernard croisent un jeune homme qui sort d'une galerie, plusieurs toiles sous le bras.

Laurent : ⟨Pardon Monsieur, nous faisons une enquête sur la peinture.

Le jeune homme : *(désagréable)*
Monsieur, je suis désolé, mais j'ai du travail.

Laurent : Mais juste une ou deux questions...

Le jeune homme : *(très sec)*
Monsieur, je vous ai dit non !

Le jeune homme monte dans sa voiture et démarre.

Laurent : Il est bizarre ce type, tu ne trouves pas ?

Bernard : Et tu as vu la voiture ?

Laurent : Allez, on le suit... ⟩

Bernard et Laurent suivent la voiture du jeune homme.

Laurent : Je l'ai perdu, où est-il passé ?

Bernard : Là ! Il vient de filer à gauche.
Allez, démarre !

Un peu plus tard...

Bernard : Freine. Freine ! Arrête-toi là, derrière les arbres.

DEUXIÈME PARTIE

Devant une villa

Bernard : Regarde... il est rentré dans la villa.

Bernard et Laurent descendent de voiture et s'approchent de la villa.

Laurent : ⟨Passe derrière la maison et fais le tour. On se rejoint devant.

Bernard : Dis donc, il n'y a pas de chien au moins ?
Parce que moi, tu sais, les chiens...

Laurent : Ecoute, mon vieux, tu verras bien.

Bernard : Bon... mais écoute... passe devant, je te suis. ⟩

Laurent et Bernard s'approchent d'une fenêtre et découvrent dans une grande pièce des toiles de Buffet, Dufy, Picasso, Matisse.

Laurent : *(Il murmure entre ses dents.)*
Picasso... Dufy... Oh, Matisse !
Mais ce n'est pas possible !

Ils voient le jeune homme entrer. Il se met à peindre un faux Matisse.

Dans le bureau de *Lyon-Matin*, à Nice

Laurent : *(à Martine)*
⟨Un faussaire, je te dis.
J'en suis sûr. La villa est remplie de Picassos, de Dufys, de Matisses...
Je l'ai vu peindre !

Bernard : Alors qu'est-ce qu'on fait ? La police ?

Martine : Ah non ! pas la police. Surtout pas !

Laurent : Bon, mais il faut savoir ce qu'il fait avec les toiles. Il y a peut-être tout un réseau de revendeurs.
Tu te rends compte ! C'est une enquête formidable pour *Lyon-Matin* !

Bernard : Alors, qu'est-ce que tu en penses ?

Martine : C'est d'accord. ⟩

Devant la villa du faussaire

Martine (voix off) : C'est ainsi que pendant toute une semaine, nous avons surveillé notre faussaire.
Nous restions devant sa maison pendant des heures.

Dans le vieil Antibes

Martine (voix off) : Nous le suivions dans les rues du vieil Antibes. Nous le poursuivions jusque dans les cafés... les bars... les restaurants. Je me suis même transformée en artiste peintre pour ne pas éveiller les soupçons. Notre faussaire menait une vie parfaitement honnête !

Dans le bureau de *Lyon-Matin*

Bernard rejoint Martine et Laurent.

Martine : Alors, tu as du nouveau ?

Bernard : Non, rien, toujours rien.
Il est sorti à onze heures cinq. Il est allé dans une épicerie. Il a acheté deux tranches de jambon, un quart de beurre et une bouteille d'eau minérale...
Ah ! j'oubliais. Il a aussi pris un *Nice-Matin* chez le marchand de journaux.
Puis, il est rentré chez lui à onze heures trente-trois, et il s'est mis à peindre.
Je suis découragé. J'arrête.

Sorti à 11H05
Est allé dans une épicerie
a acheté :
- deux tranches de jambon
- un quart de beurre
- une bouteille d'eau minérale
a pris "Nice-Matin" chez le marchand de journaux.
Est rentré à 11H33
et s'est mis à peindre.

Laurent : Je suis de ton avis, tout ça ne mène à rien.

Martine : Pour de grands détectives, je trouve que vous vous découragez un peu vite.
Tenez... écoutez ! Demain à dix-sept heures, la galerie du Vieux Port, à Nice, annonce une vente exceptionnelle de tableaux de maîtres : Picasso, Matisse, Dufy... Je serais très curieuse d'assister à cette vente... Pas vous ?

Dans une galerie de tableaux

Laurent et Martine entrent.
Deux dames discutent avec passion.

La 1re dame : J'adore Picasso !

La 2e dame : Moi, c'est Matisse.
Je donnerais tout Picasso pour un seul Matisse !

La 1re dame : Voyons, ma chérie, vous exagérez toujours !

Martine : *(à l'oreille de Laurent)*
Tu vois *(Elle désigne discrètement le faussaire.)*, il est là-bas au fond, on ne s'est pas trompé !

Deux messieurs discutent devant un tableau.

Un monsieur : Oui, bien sûr, ce sont des noms.
Ça impressionne. Mais croyez-moi, ma fille peint, et ce qu'elle fait vaut certains de ces Matisses.

L'autre monsieur : Mais, je n'en doute pas, mon cher ami !

Martine : *(à l'oreille de Bernard)*
Le type, à côté du faussaire, c'est le directeur de la galerie. Je vais m'approcher d'eux...

ÉMISSION 16 VRAI OU FAUX ?

Martine s'approche du faussaire et du directeur de la galerie qui parle avec une cliente.

La cliente : Un million de francs, mais c'est beaucoup d'argent !

Le marchand : Madame, un Matisse de cette qualité, c'est introuvable !

Martine : Eh bien moi, j'en donne cinq cents francs !

La cliente : Pardon ?

Le marchand : Mais qu'est-ce qui vous prend, Mademoiselle. Je vous conseille de vous occuper de vos affaires.

Martine : *(à la cliente)*
Ce tableau est un faux, Madame, et le faussaire n'est pas loin ! ›

Dans la mêlée générale, Martine passe à travers la fausse toile de Matisse. Pendant ce temps, Laurent immobilise le faussaire.

Bernard : *(Il aperçoit Martine.)*
Tu sais que... une fois encadrée... tu es très jolie !

Dans la villa du faussaire

Le faussaire : Alors, vous êtes des flics ?

Martine : Mais non... des journalistes, tout simplement.

Le faussaire : Vous allez me dénoncer ?

Martine : Non, on ne vous dénoncera pas si vous arrêtez votre trafic et... si vous peignez vos propres œuvres.

Le faussaire : Je vais essayer. Merci. Mais vous me donnez votre parole ?

Bernard : ... Je peux en garder un, en souvenir ?

Bernard a décroché un Picasso et le regarde.

Martine et Laurent : *(ensemble)*
Non !

Bernard : *(Il soupire.)*
Dommage...

AVEZ-VOUS BIEN SUIVI L'HISTOIRE

1 Mettez les événements dans le bon ordre.

a. Laurent fait le guet près de la villa du faussaire.
b. Laurent empêche le faussaire de s'enfuir.
c. Les trois journalistes vont à une exposition de tableaux.
d. Laurent et Bernard interviewent des peintres.
e. Le faussaire met le faux Matisse autour du cou de Martine.
f. Laurent et Bernard suivent le faussaire en voiture.
g. Un peintre refuse de répondre à leurs questions.
h. Martine propose de faire un reportage sur les jeunes peintres de la Côte.

2 Qui dit ces phrases ?

a. Non, ce n'est pas une profession, c'est un plaisir.
b. Monsieur, je suis désolé, mais j'ai du travail.
c. Il est bizarre, ce type, tu ne trouves pas ?
d. Je suis de ton avis, tout ça ne mène à rien.
e. Je vous conseille de vous occuper de vos affaires.
f. Tu sais que... une fois encadrée... tu es très jolie !

3 Quelles phrases peut-on entendre dans une galerie de tableaux ?

a. Madame, un Matisse de cette qualité, c'est introuvable !
b. Tu vois bien que ce sont des reproductions !
c. Je peux en garder un en souvenir ?
d. Je donnerais tout Picasso pour un Matisse !
e. J'aime beaucoup la façon de travailler de ce mécanicien.

4 Vrai ou faux ?

a. Martine possède quelques belles reproductions de tableaux.
b. Le premier peintre refuse catégoriquement de répondre.
c. Martine participe à l'enquête, elle aussi.
d. Martine propose d'alerter la police.
e. Martine offre un million de francs pour le Matisse.
f. Le faussaire se rend compte qu'il est perdu.

5 Qu'est-ce qu'ils disent ?

ÉMISSION 16

REPORTAGE

TABLEAUX DE MAÎTRES

Le conservateur du musée Matisse de Nice

L'interviewer

Nous sommes sur la colline de Cimiez qui domine la ville. Matisse, qui a vécu à Nice de 1938 à sa mort en 1954, se promenait dans ce parc, dans ces ruines romaines, parmi ces oliviers, près de cette villa où sont maintenant exposés ses tableaux.
Monsieur Girard est le conservateur du musée Matisse.

M. Girard

Ici, dans cette pièce, les tableaux de Matisse sont vraiment dans leur lumière, c'est la lumière qu'il avait choisie, c'est une lumière qu'il aimait particulièrement, et, regardez par exemple ce tableau... sa lumière a quelque chose de très rayonnant.
Ici, par contre, un tableau plus sombre a été peint par Matisse au tout début de son œuvre, en 1890 exactement. Ce tableau, qui est une copie d'après David de Heim, un peintre du Nord, montre bien que Matisse est un peintre du Nord, d'abord. Et puis, peu à peu, la couleur, la lumière, qu'il connaît dans le midi de la France, va baigner ses tableaux, jusqu'en 1905 où l'éclatement de la couleur va être tel que l'on va parler de peinture

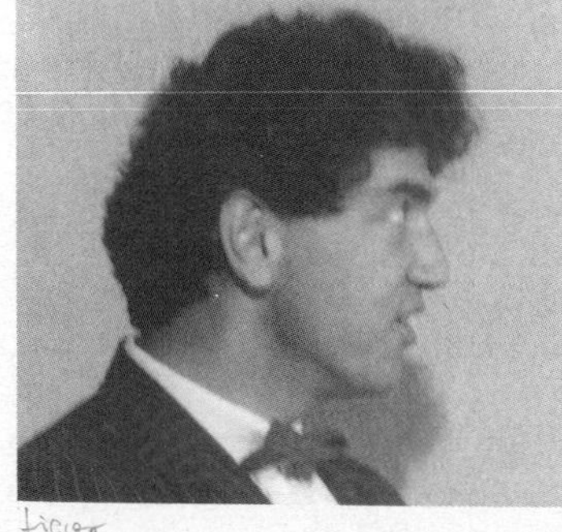

«fauve», sauvage. Ce tableau est un tableau qui montre bien la couleur fauve chez Matisse.
Voici à présent un tableau de 1947, «La nature morte aux Grenades». C'est un tableau très célèbre. Il contient tous les thèmes de Matisse : la fenêtre, d'abord, l'intérieur, la nature morte, les étoffes et, là-haut, tout en haut, un petit portrait, dans un cercle...

L'interviewer

Quel est le rôle d'un conservateur ?

M. Girard

Un conservateur montre des œuvres, le mieux possible, les fait connaître, les étudie, et il cherche à les faire aimer surtout.

L'interviewer

Et vous avez aussi un rôle de conservation ?

M. Girard

Oui, bien sûr. Je suis un conservateur et je conserve les œuvres... eh bien, contre l'humidité, la lumière trop intense, la chaleur, mais aussi bien sûr je les protège contre le vol.
Voici l'une des dernières œuvres de Matisse. C'est le «Nu Bleu», numéro 4, que Matisse peignit en 1952. C'est une peinture très curieuse. C'est entre la peinture, de la gouache sur du papier collé sur une feuille blanche, le dessin que l'on voit ici, et puis, on pourrait dire, la sculpture. Matisse a taillé... a découpé cette feuille de papier comme ceci, à bout de bras. C'est une œuvre d'une apparente simplicité. C'est en fait l'aboutissement de toute une vie de travail. Imaginez le chemin parcouru depuis la petite nature morte de 1890, que nous avons vue tout à l'heure, et puis ce «Nu» resplendissant.

- Pourquoi de nombreux peintres sont-ils allés chercher leur inspiration sur la côte d'Azur ?
- Notez, dans l'interview de M. Girard et dans la citation de Matisse, quelques idées ou faits importants et faites le plan d'un court exposé sur le peintre.

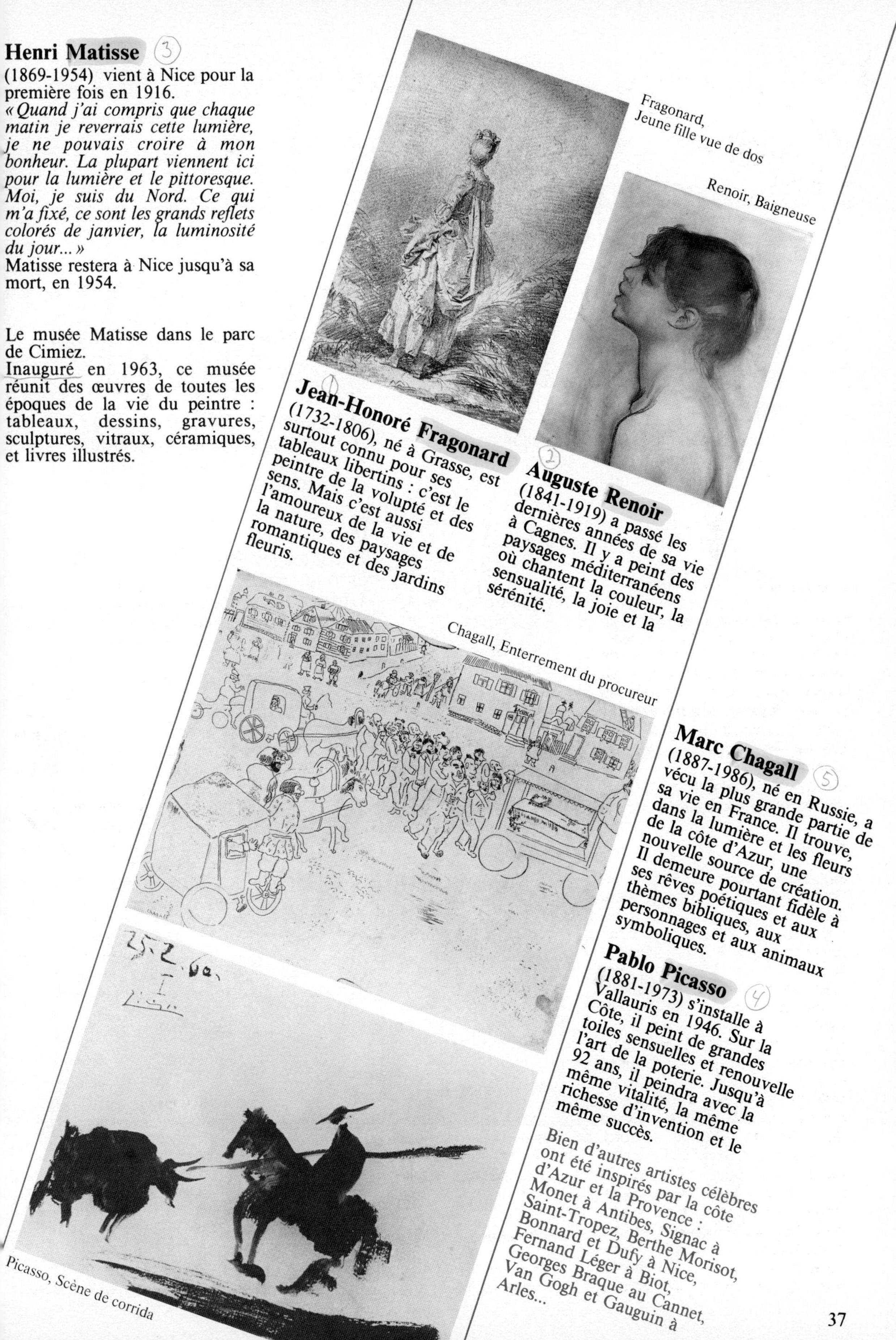

Henri Matisse

(1869-1954) vient à Nice pour la première fois en 1916.
« Quand j'ai compris que chaque matin je reverrais cette lumière, je ne pouvais croire à mon bonheur. La plupart viennent ici pour la lumière et le pittoresque. Moi, je suis du Nord. Ce qui m'a fixé, ce sont les grands reflets colorés de janvier, la luminosité du jour... »
Matisse restera à Nice jusqu'à sa mort, en 1954.

Le musée Matisse dans le parc de Cimiez.
Inauguré en 1963, ce musée réunit des œuvres de toutes les époques de la vie du peintre : tableaux, dessins, gravures, sculptures, vitraux, céramiques, et livres illustrés.

Fragonard,
Jeune fille vue de dos

Renoir, Baigneuse

Jean-Honoré Fragonard

(1732-1806), né à Grasse, est surtout connu pour ses tableaux libertins : c'est le peintre de la volupté et des sens. Mais c'est aussi l'amoureux de la vie et de la nature, des paysages romantiques et des jardins fleuris.

Auguste Renoir

(1841-1919) a passé les dernières années de sa vie à Cagnes. Il y a peint des paysages méditerranéens où chantent la couleur, la sensualité, la joie et la sérénité.

Chagall, Enterrement du procureur

Marc Chagall

(1887-1986), né en Russie, a vécu la plus grande partie de sa vie en France. Il trouve, dans la lumière et les fleurs de la côte d'Azur, une nouvelle source de création. Il demeure pourtant fidèle à ses rêves poétiques et aux thèmes bibliques, aux personnages et aux animaux symboliques.

Pablo Picasso

(1881-1973) s'installe à Vallauris en 1946. Sur la Côte, il peint de grandes toiles sensuelles et renouvelle l'art de la poterie. Jusqu'à 92 ans, il peindra avec la même vitalité, la même richesse d'invention et le même succès.

Bien d'autres artistes célèbres ont été inspirés par la côte d'Azur et la Provence : Monet à Antibes, Signac à Saint-Tropez, Berthe Morisot, Bonnard et Dufy à Nice, Fernand Léger à Biot, Georges Braque au Cannet, Van Gogh et Gauguin à Arles...

Picasso, Scène de corrida

ÉMISSION **16**

POUR COMPRENDRE ET POUR VOUS EXPRIMER

1 Retour au passé...

Bernard et Laurent **suivaient** le faussaire.

imparfait :

Celui qui parle veut montrer l'action en train de se faire. Il décrit l'action, qu'on revoit comme dans un film.

Bernard et Laurent **ont suivi** le faussaire.

passé composé :

Celui qui parle est surtout intéressé par la scène et la chronologie des événements.

▶ Faites revivre les scènes suivantes.

Ex. : Sarah / peindre la mer
→ Sarah peignait la mer.

a. Laurent / faire une enquête
b. le faussaire / finir de peindre
c. Martine / suivre le faussaire
d. le faussaire / vouloir s'enfuir

▶ Qu'est-ce qui s'est passé ?
Racontez les événements dans l'ordre chronologique.
Utilisez : d'abord / ensuite / après / alors / à ce moment-là / enfin...

2 Situer des personnages et des objets

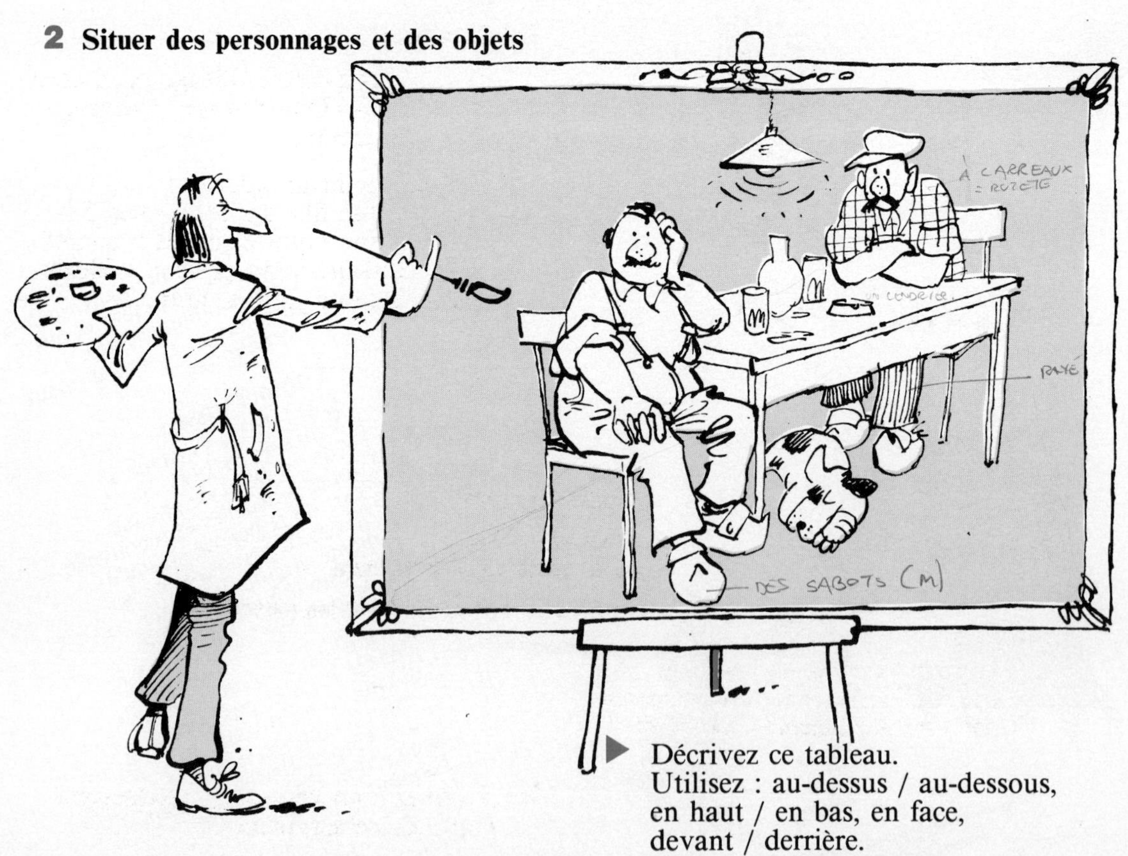

▶ Décrivez ce tableau.
Utilisez : au-dessus / au-dessous, en haut / en bas, en face, devant / derrière.

3 « en » + expression de quantité

Tu as acheté **du parfum ?** — Oui, j'**en** ai acheté.
Tu as vendu **des tableaux ?** — Oui, j'**en** ai vendu.
ou Non, je n'**en** ai pas vendu (= je n'ai pas vendu de tableaux).

▶ Combien y en a-t-il ?

Ex. : Sur la Côte / musées → Sur la Côte, il y a beaucoup de musées.

a. chez Martine / reproductions
b. chez Martine / vrais tableaux
c. sur la mer / bateaux
d. Bernard / faire des photos
e. le peintre / vendre des toiles

▶ Répondez aux questions.

Ex. : Vous avez vu des tableaux chez lui ? — Oui, nous en avons vu beaucoup.

a. Sarah peint un tableau ?
b. Il y a une fille sur les rochers ?
c. Il y a une voiture sur les rochers ?
d. Le faussaire vend de faux tableaux ?
e. Il achète un journal le matin ?

4 Les verbes et leur construction

Verbe + COD	Il peint une toile.
Verbe + préposition + COI	Il parle de peinture. Ils enquêtent sur la peinture.
Verbe + COD + COI	Ils écrivent des articles sur les musées.

⚠ Certains verbes ne peuvent pas avoir de COD ou COI. On les appelle des **verbes intransitifs.** *Ex. :* Il dort.

▶ Trouvez cinq verbes se construisant comme « se servir de ».

ÉMISSION **16**

• Comprendre les intonations et les mimiques

1 Un personnage dit une phrase trois fois, chaque fois avec une intonation différente.
Quel sens donne l'intonation à la phrase ?
Mettez une croix dans la colonne correspondante.

a. Laurent : « De quoi est-ce que vous vivez ? »

réplique	1	2	3
simple question			
question répétée			
grande suprise			

b. Le jeune homme : « Monsieur, je suis désolé, mais j'ai du travail. »

réplique	1	2	3
refus poli			
refus brutal, définitif			
refus non définitif			

c. Le marchand de tableaux : « Je vous conseille de vous mêler de vos affaires. »

réplique	1	2	3
simple conseil			
reproche violent			
remarque ironique			

2 Qu'exprime le visage de Bernard ?

a. Sur la photo nº 1 page 41, le visage de Bernard exprime :
☐ l'indifférence ☐ la colère ☐ l'intérêt

b. Sur la photo nº 3, le visage de Bernard exprime :
☐ la peur ☐ le doute et la gêne ☐ la fatigue

c. Sur la photo nº 10, le visage de Bernard exprime :
☐ l'ennui ☐ l'agressivité ☐ la moquerie

• Construire un texte

1 Cherchez des idées en décrivant et en commentant les photos de la page 41.

2 D'après vous, que pensent les personnages des photos nºs 3, 5 et 8 ?

3 Pour chacune des photos de la page 41, écrivez une phrase.

4 Dans le résumé en photos de la page 41, il manque plusieurs événements importants. Lesquels ?
Ex. : la rencontre de Bernard et Laurent avec le peintre qui refuse de répondre à leurs questions, la filature en voiture jusqu'à la villa du peintre...
Écrivez quelques phrases pour décrire ces événements.

16

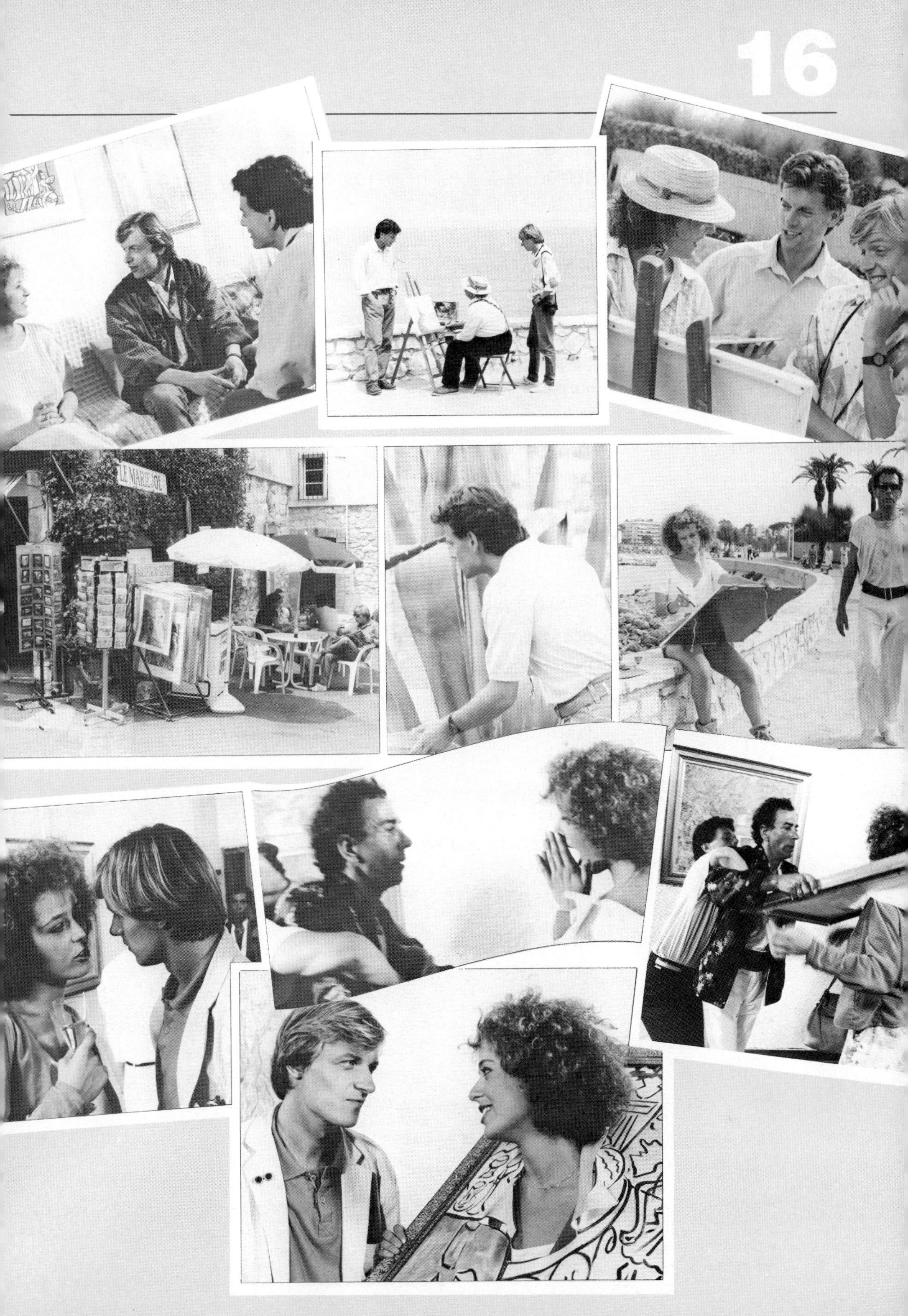

ÉMISSION **17**

VIVE LES VACANCES !

OBJECTIFS

Découvrir

- **des lieux** : la terrasse d'un grand hôtel, à Cannes, les îles de Lérins
- **des gens** : un portier d'hôtel, un guide, une hôtesse de l'office du tourisme

Apprendre

- **à exprimer la probabilité**
- **à donner son opinion , à nuancer ses affirmations**
- **à faire des propositions**
- **à exprimer des émotions et des sentiments** : la surprise, la colère, la peur...

et pour cela, utiliser

— *penser que..., croire que..., être sûr que...*

— des adverbes : *certainement, probablement, sans doute, peut-être*

— *laisser* + proposition infinitive

— l'interrogation indirecte

IMAGINEZ L'HISTOIRE...

les lieux	l'action	Posez-vous des questions.
1 à la terrasse de l'hôtel Martinez, à Cannes	1	Nos amis ne travaillent pas aujourd'hui ?
2 sur le bateau des îles de Lérins	2	Où vont-ils ?
3 dans la forteresse des îles de Lérins	3	Martine a peur. Qu'est-ce qu'elle a vu ?
4 au restaurant des îles de Lérins	4	Où ont-ils retrouvé M. Duray ?

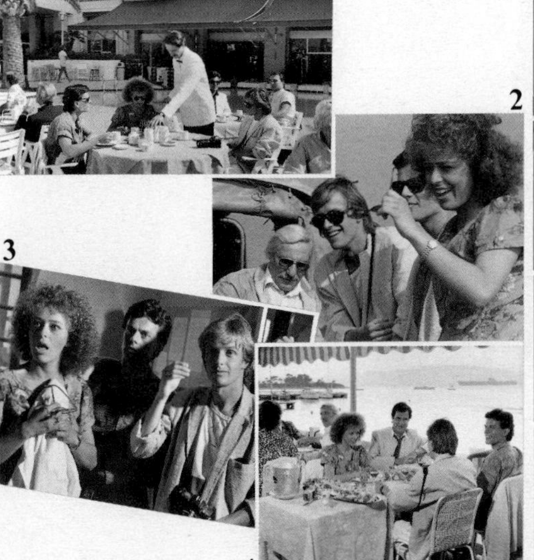

17

PREMIÈRE PARTIE

Dans le bureau de *Lyon-Matin*, à Nice

Martine, Laurent et Bernard essaient de travailler.

Bernard : ⟨Oh, quelle chaleur ! Ce n'est vraiment pas un temps pour travailler !

Laurent : Il n'y a rien d'urgent à faire aujourd'hui. Pas vrai, Martine ?

Bernard : Et si on prenait une journée de vraies vacances ? Ça fait si longtemps que nous n'avons pas pris un seul jour de congé ensemble !

Martine : Bon, je crois que j'ai compris... On va s'offrir un jour entier de liberté. D'accord ?

Laurent : Ce n'est pas mal du tout comme idée...

Bernard : Et moi, je trouve même que c'est une idée formidable !

Martine : Xavier, nous partons pour la journée ! Aujourd'hui, repos !

Xavier : Si je comprends bien, vous me laissez tomber !

Martine : Exactement !

Xavier : Vous en avez de la chance ! Je peux savoir où vous allez ?

Bernard : Oh... on ne sait pas encore...

Martine : Ah, si !... On va aller prendre un super petit déjeuner à Cannes.⟩

A l'aéroport de Nice

Monsieur Duray vient d'arriver. Il monte dans un taxi.

M. Duray : *(au chauffeur)* 12, avenue des Mimosas, s'il vous plaît.

Le chauffeur : Bien, Monsieur.

A la terrasse de l'hôtel Martinez, à Cannes

Martine, Laurent et Bernard attendent leur petit déjeuner.

Le garçon : Voici Messieurs-Dames.

Laurent : Merci.

Dans le taxi

Le chauffeur : Vous êtes en vacances, Monsieur ?

M. Duray : Hélas, non ! Je travaille. Je suis directeur d'un journal, je viens voir mes collaborateurs à Nice et... je vais leur faire une surprise...

ÉMISSION

17 VIVE LES VACANCES !

A la terrasse du *Martinez*

Laurent : Alors, qu'est-ce qu'on fait ?

Bernard : Moi, je suis pour un tour en Italie.

Martine : ... Ce n'est pas mal, mais je préfère une promenade en mer. Allons aux îles de Lérins, par exemple...

Laurent : Tu crois ? Ça ne vous dirait rien, Saint-Tropez ? Une journée à Saint-Trop' ce serait bien, non ?

Bernard : Ah, non, non ! Moi, je suis contre. Il y a beaucoup trop de monde !

Martine : Bon, alors, pour vous mettre d'accord, je vous propose un petit jeu. Celui qui gagne décide où nous irons. On va essayer de deviner la nationalité des touristes qui sont à la terrasse.

Laurent : Oui, mais comment le savoir ?

Martine : C'est facile ! On leur pose une question, par exemple : « Quelle heure est-il ? », et nous verrons bien comment ils répondent...

Bernard : D'accord, je commence.
Voyons... cette jeune femme là-bas est japonaise, c'est évident, ou chinoise... non, non, japonaise.

Bernard va vers la jeune femme.

Bernard : KONNICHI – WA...

La jeune femme : Sorry, I'm American from Hawaï...
What do you want ?

Bernard : *(confus)*
Excuse me. Sorry... Pardonnez-moi.

Martine : Félicitations !
Quel flair !

Laurent s'adresse à un monsieur « américain ».

Laurent : Excuse me, Sir. What time is it ?

L'homme : Bitte ?

Laurent : Pardon, vous n'êtes pas américain ?

L'homme : *(en très bon français)*
Non, allemand.

Laurent : *(gêné)*
Veuillez m'excuser, Monsieur...

Martine : Raté, mon cher Laurent, raté !

Laurent : *(à Martine)*
Bon, à toi maintenant !
On va bien voir si tu es plus forte que nous...

Martine voit un homme très élégant.

Martine (voix off) : Celui-là doit être italien...

Martine : Prego, Signore, que hora è ?

L'homme : Sono exactamente le nove e mezzo, signorina. Prego...

Martine : No no, mille grazie, sono con amici...
... ciao ...

Martine : Et voilà ! gagné ! Nous allons aux îles de Lérins.

Laurent : Eh bien, tant pis ! A quelle heure, le bateau ?

Martine : Vers dix heures, je crois.
Je vais me renseigner.

Dans le hall de l'hôtel, Martine s'adresse au concierge.

Martine : Vous avez les horaires pour les îles de Lérins ?

Le concierge : Il y a un bateau toutes les heures.
Il part du port de Cannes...

Martine : Merci. Au revoir...

Le concierge : Mademoiselle... ⟩

Au bureau de *Lyon-Matin*, à Nice

***Monsieur Duray entre et aperçoit Xavier, le technicien de* Radio-Rivage.**

M. Duray : ⟨ Pardon, Xavier, mademoiselle Doucet, s'il vous plaît, ou monsieur Travers, ou encore monsieur Nicot ?

Xavier : Je crois bien qu'ils sont partis tous les trois se balader.

M. Duray : Comment, se balader ! Ça alors ! Mais... Je veux savoir où ils sont allés.

Xavier : Il me semble qu'ils prennent leur petit déjeuner à Cannes.

M. Duray : A Cannes ! ⟩

A bord du bateau qui va aux îles de Lérins

Une jeune fille guide un groupe de touristes.

La jeune fille : Alors, regardez bien. A droite, vous pouvez voir le vieux Cannes... Et à gauche, le palais du Festival.

A l'hôtel Martinez

Monsieur Duray, furieux, parle au concierge de l'hôtel.

M. Duray : ⟨ Une jeune fille et deux jeunes gens. Ils étaient là, j'en suis sûr.

Le concierge : Quel dommage, Monsieur ! Ils sont partis il y a une demi-heure à peine ! Je crois qu'ils font une excursion aux îles de Lérins.

M. Duray : Une excursion ! Et aux îles de Lérins ! Ça alors ! ⟩

DEUXIÈME PARTIE

Sur le bateau qui va aux îles de Lérins

La jeune fille : Et maintenant, les tickets. Ils sont de couleurs différentes. Les rouges... montrez-les-moi. Les rouges... ce sont les tickets pour le bateau. Les bleus... ce sont les tickets pour la visite du château et... les jaunes... les jaunes, ce sont les tickets pour... le déjeuner... où il y aura plein de bonnes choses !

Monsieur Duray loue un bateau.

M. Duray : Les îles de Lérins, le plus vite possible. Plus vite !

Sur le bateau où se trouvent Martine, Laurent et Bernard

Bernard : *(Il s'adresse à une dame.)* Vous pouvez nous prendre en photo tous les trois avec mon appareil ?

La dame : Je ne peux pas !

Bernard : S'il vous plaît...

La dame : Je ne peux pas ! C'est... c'est impossible !

Martine : *(à Laurent)* Ça ne va pas toi non plus ?

Laurent : Ça peut encore aller mais... ça bouge !

Sur l'île Sainte-Marguerite

La jeune fille : S'il vous plaît, les tickets bleus, vous sortez les tickets bleus. Merci.

Martine : Ah !... C'est beau... Vous ne trouvez pas ?

Le bateau de monsieur Duray arrive à quai.

ÉMISSION 17 VIVE LES VACANCES !

A l'intérieur de la forteresse

Le guide : Mesdames, Messieurs. Cette forteresse existe depuis le XVIIe siècle. Sous le règne de Louis XIV, elle devient prison royale et c'est ici même qu'a été enfermé le célèbre Masque de Fer.
Personne ne connaissait sa véritable identité, mais on pense qu'il s'agissait d'un frère du roi.
Mesdames, Messieurs, la visite se poursuit. Veuillez me suivre, s'il vous plaît. Attention de ne pas vous cogner la tête en sortant de la cellule...

Les touristes sortent. Les trois amis sont restés à l'arrière du groupe.

Bernard : ⟨Tiens... on va faire des photos ici. Là. *(à Martine)* Mets-toi devant la porte... Voilà... Bien...

Martine : Aah ! Un fantôme ! Un fantôme ! ... Duray ! J'ai vu Duray !

Bernard : Calme-toi ! Calme-toi !

Laurent : Ça fait trois mois qu'on n'a pas vu Duray... Il est à Lyon, Duray, c'est certain ! Il ne peut pas être ici.

La porte de la cellule du Masque de Fer s'ouvre brusquement.

M. Duray : Si ! Il est là... Duray !

Martine : Mais... Mais... c'est bien vous ? Vous êtes vivant ?

M. Duray : Je suis en parfaite santé, vous pouvez me croire ! Mais vous, qu'est-ce que vous faites ici ?

Laurent : Eh bien... voilà...

M. Duray : Pas de mauvaises excuses ! L'histoire du reportage, je la connaissais avant vous !

Bernard : Non, Monsieur, non. Non ! On voulait juste s'offrir une journée de vacances, c'est tout.

M. Duray : Ah ! Bon... je préfère la vérité. Passons. Mais ça suffit comme ça. La prochaine fois, dites-le-moi !

Martine : Mais vous savez, Monsieur, nous travaillons aussi ! Le reportage sur l'hôtellerie, il est presque terminé. Si vous voulez, on peut vous expliquer.

M. Duray : Bon, je vois que vous travaillez quand même de temps en temps. ⟩

Au restaurant de l'île Sainte-Marguerite

M. Duray : Bon, cette journée de vacances, c'est moi qui vous l'offre... Enfin, vous pouvez dire que j'ai bon caractère.

Les trois : Merci monsieur Duray !

Bernard : Patron, non, patron.
C'est trop patron !
Franchement, non, c'est trop !

M. Duray : Ça va ! ça va !
N'en faites pas trop !
Ça va !

Les trois : A vous !
Santé !
Santé !

Bernard : Non franchement c'est... c'est trop.

AVEZ-VOUS BIEN SUIVI L'HISTOIRE

1 Mettez les événements dans le bon ordre.

a. M. Duray demande au réceptionniste où sont allés les trois jeunes gens.
b. Martine décide qu'ils vont aux îles de Lérins visiter la forteresse.
c. Martine, Bernard et Laurent vont prendre le petit déjeuner à l'hôtel Martinez.
d. M. Duray sort d'une cellule, et Martine croit voir un fantôme.
e. Martine accorde un jour de congé à toute l'équipe.
f. Bernard et Laurent se plaignent de la chaleur.
g. Ils font un jeu pour savoir qui va choisir le programme de la journée.

2 Qui dit ces phrases ?

a. Et si on prenait une journée de vraies vacances ?
b. Ce n'est pas mal du tout comme idée...
c. Si je comprends bien, vous me laissez tomber !
d. Je vais leur faire une surprise.
e. Celui qui gagne décide où nous irons.
f. On va bien voir si tu es plus forte que nous...

3 Éliminez ce qui ne convient pas.

a. Pour un petit déjeuner : œufs au jambon, croissants, toasts, vin, côte de bœuf, marmelade, salade, jus d'orange.
b. Pour parler d'une excursion : bateau, guide, se balader, fantôme, tickets, se cogner la tête, peinture.
c. Pour parler d'un hôtel : réceptionniste, ascenseur, promenade, laisser tomber, hôtellerie, jour de congé.

4 Vrai ou faux ?

a. Martine dit à Xavier où ils vont.
b. En arrivant à l'aéroport, M. Duray est furieux.
c. L'Italien dit à Martine qu'il ne veut pas répondre.
d. Sur le bateau, une grosse dame prend une photo des trois amis.
e. On ne connaît toujours pas la véritable identité du Masque de Fer.
f. Les trois amis visitent la forteresse en compagnie de M. Duray.
g. M. Duray n'aime pas qu'on lui dise la vérité.

5 Qu'est-ce qu'ils disent ?

Acropolis

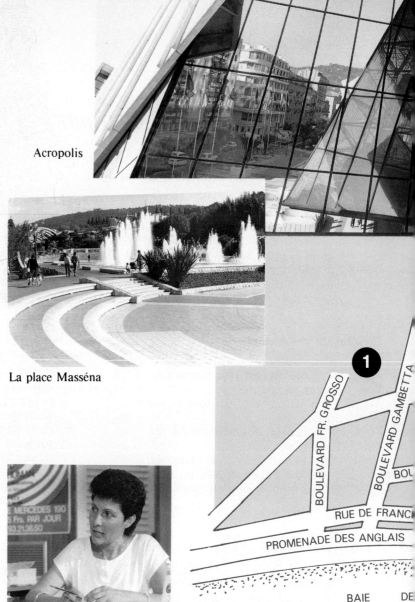

La place Masséna

Nice dans l'histoire.
Nice est à l'origine une ville double : un port fondé par les Grecs, *Nikaia,* autour de la colline du Château, et une place forte créée par les Romains sur la colline de Cimiez.
Sous les comtes de Provence, puis sous les ducs de Savoie, Nice prospère et occupe toute la vieille ville actuelle.
En 1860, Nice devient française. Elle comptait alors 40 000 habitants. Nice est la ville de Masséna, fait maréchal de France par Napoléon, et de Garibaldi, un des principaux chefs de la révolution italienne.
Avec ses 340 000 habitants, Nice est actuellement la cinquième ville de France et la seconde ville du Midi méditerranéen, après Marseille. Nice possède une université, une école des Arts décoratifs, un conservatoire de musique et de nombreux musées. Son carnaval reste l'un des plus célèbres.

Une hôtesse de l'Office du tourisme à Nice

L'interviewer

Mademoiselle Fanet, vous êtes hôtesse ici ?

L'hôtesse

Oui. J'accueille les touristes et je les aide, soit à trouver un hébergement, soit à organiser leur séjour et à visiter la région.

L'interviewer

Eh bien, prenons un exemple...
Je suis un étudiant venu à Nice en auto-stop.
Où est-ce que vous m'envoyez ?

L'hôtesse

Voulez-vous aller à l'hôtel, dans un camping, ou à l'auberge de jeunesse ?

L'interviewer

Disons à l'hôtel.

L'hôtesse

Eh bien, je peux vous proposer un petit hôtel près de la gare qui fait dans les cent francs pour deux personnes... avec petit déjeuner compris.

L'interviewer

Bon. Imaginez maintenant que je suis un touriste qui a de l'argent.

L'hôtesse

Alors, je vous enverrais à ce moment-là dans un hôtel trois étoiles. Il propose des chambres entre trois cents et quatre cent cinquante francs pour deux personnes. Evidemment, il y a aussi des hôtels de luxe, comme le *Négresco.* Mais c'est évidemment beaucoup plus cher !

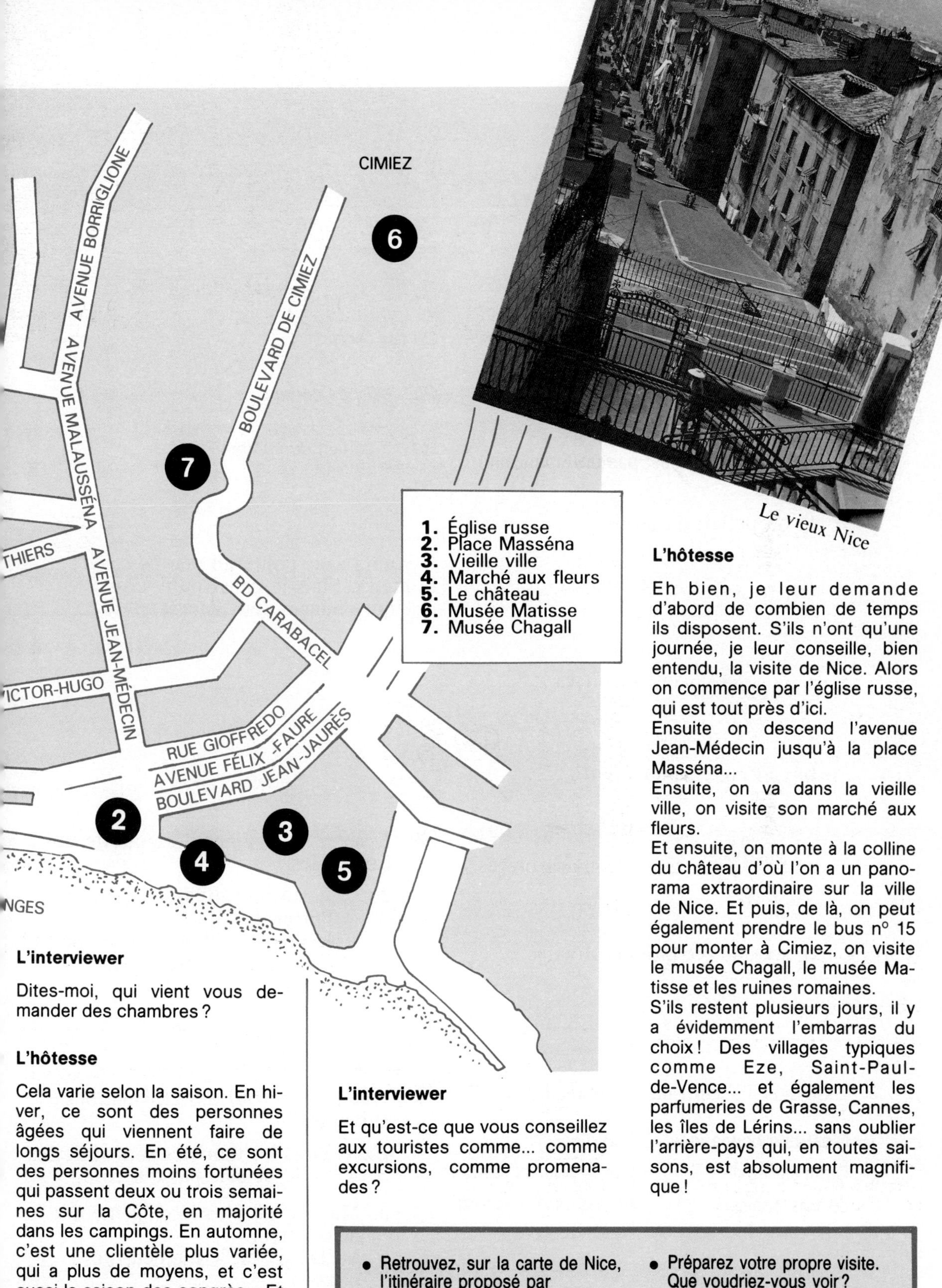

Le vieux Nice

L'interviewer

Dites-moi, qui vient vous demander des chambres ?

L'hôtesse

Cela varie selon la saison. En hiver, ce sont des personnes âgées qui viennent faire de longs séjours. En été, ce sont des personnes moins fortunées qui passent deux ou trois semaines sur la Côte, en majorité dans les campings. En automne, c'est une clientèle plus variée, qui a plus de moyens, et c'est aussi la saison des congrès... Et puis nous avons toute l'année les jeunes qui voyagent en sac à dos et en jeans...

L'interviewer

Et qu'est-ce que vous conseillez aux touristes comme... comme excursions, comme promenades ?

L'hôtesse

Eh bien, je leur demande d'abord de combien de temps ils disposent. S'ils n'ont qu'une journée, je leur conseille, bien entendu, la visite de Nice. Alors on commence par l'église russe, qui est tout près d'ici.
Ensuite on descend l'avenue Jean-Médecin jusqu'à la place Masséna...
Ensuite, on va dans la vieille ville, on visite son marché aux fleurs.
Et ensuite, on monte à la colline du château d'où l'on a un panorama extraordinaire sur la ville de Nice. Et puis, de là, on peut également prendre le bus n° 15 pour monter à Cimiez, on visite le musée Chagall, le musée Matisse et les ruines romaines.
S'ils restent plusieurs jours, il y a évidemment l'embarras du choix ! Des villages typiques comme Eze, Saint-Paul-de-Vence... et également les parfumeries de Grasse, Cannes, les îles de Lérins... sans oublier l'arrière-pays qui, en toutes saisons, est absolument magnifique !

- Retrouvez, sur la carte de Nice, l'itinéraire proposé par Mlle Fanet pour la visite de la ville.
- Préparez votre propre visite. Que voudriez-vous voir ? Que voudriez-vous faire ?

ÉMISSION **17**

POUR COMPRENDRE ET POUR VOUS EXPRIMER

1 Exprimer la probabilité

Je suis (absolument) certain que...
Il est évident que...
On est certain.

Je pense que c'est un Américain.
C'est sans doute un Américain.
On n'est pas certain.

Ça ne peut pas être un Américain.
Je suis sûr que ce n'est pas un Américain.
On est certain du contraire.

▶ Si on parlait du temps...

Ex.  soleil/nuages

Il y aura sans doute un peu de soleil le matin. Mais je pense qu'il y aura quelques nuages dans l'après-midi.

a. soleil/averses

b. pluie/vent

c. temps couvert/orages

d. 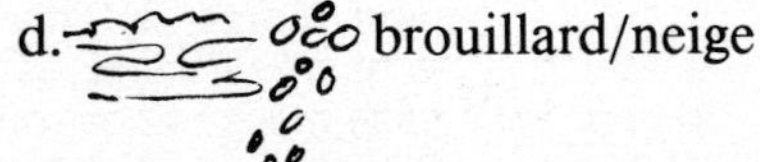 brouillard/neige

▶ Essayez de deviner l'origine de vos camarades.

Ex. : Je suis sûr qu'il/elle vient du Portugal.
Je pense qu'il/elle est de Madrid.
C'est probablement une Allemande.

2 Exprimer l'accord ou le désaccord

C'est une bonne idée.	*Être d'accord.*
Ça m'est égal.	*Être ni pour ni contre.*
Je suis contre.	*Ne pas être d'accord.*

▶ Relevez dans le texte du dialogue les expressions qui expriment l'accord, le désaccord ou l'indifférence.

▶ Que pensez-vous des affirmations suivantes ?

Ex. : Tous les touristes sont ridicules.
→ Je ne suis pas d'accord.

a. Martine est plus intelligente que les deux garçons.
b. M. Duray est le meilleur des patrons.
c. La vidéo est indispensable pour apprendre une langue.
d. *Avec Plaisir* est une bonne méthode.

3 De l'interrogation directe à l'interrogation indirecte

L'interrogation indirecte est introduite par des verbes comme : **(se) demander, ne pas savoir, chercher...**

1. « Où sont-ils allés ? »
   M. Duray veut savoir **où ils sont allés.**
   Utilisez les mots interrogatifs de l'interrogation directe : où, quand, qui...

2. « Qu'est-ce qui s'est passé ? »
   M. Duray demande **ce qui s'est passé.**

   ⚠ Qu'est-ce qui → ce qui
   Qu'est-ce que → ce que

3. « Est-ce que Martine est la plus forte ? »
   Bernard et Laurent ne savent pas **si Martine est la plus forte.**

   ⚠ Dans le cas d'une interrogation sur toute la phrase (avec réponse oui/si/non), utilisez **si** et supprimez « est-ce que ».

▶ Bernard interviewe l'hôtesse. Que veut-il savoir ?

Ex. : « Vous êtes hôtesse ? » → Il veut savoir si elle est hôtesse.

a. Où est-ce que vous envoyez les étudiants ?
b. Quels hôtels est-ce que vous proposez ?
c. Qui vient vous demander des chambres ?
d. Qu'est-ce que vous conseillez comme excursions ?
e. Qu'est-ce qui se passe en hiver ?

▶ Dites ce que vous voulez savoir sur la côte d'Azur.

Ex. : Je me demande quelles excursions on peut faire.

4 « laisser » + proposition infinitive

1. Ils laissent **Xavier sortir.**
   Le sujet de la proposition infinitive est un nom : il se place généralement avant le verbe à l'infinitif.

2. Vous **me** laissez **sortir.**
   Le sujet de la proposition infinitive est un pronom : il se place toujours avant le verbe « laisser ».

▶ Qu'est-ce que Martine, Laurent et Bernard ont laissé Xavier faire ?

Ex. : Ils ont laissé Xavier s'occuper du studio.

a. faire les émissions
b. répondre au téléphone
c. recevoir les visiteurs
d. choisir les disques, etc.

ÉMISSION

17

• Comprendre les intonations et les mimiques

1 Vous allez entendre une série de phrases. Selon l'intonation, ces phrases expriment soit la certitude (C), soit le doute (D).
Mettez une croix dans la case correspondante.

	C	D
Ex. : Il n'y a rien d'urgent à faire aujourd'hui.	X	
a. Cette jeune femme là-bas est japonaise, c'est évident. ..		
b. Il y a probablement un bateau toutes les heures.		
c. Ils prennent leur petit déjeuner à Cannes.		
d. Ils font une excursion aux îles de Lérins.		
e. Il est à Lyon, Duray.		
f. Il ne peut pas être ici.		
g. Mais... c'est bien vous?		

2 Qu'exprime le visage de Martine?

a. Sur la photo n° 3 page 53, le visage de Martine exprime :
☐ l'attention et la sympathie ☐ l'ironie
☐ l'agressivité

b. Sur la photo n° 8, le visage de Martine exprime :
☐ la gaieté ☐ la tristesse ☐ la peur

c. Sur la photo n° 10, le visage de Martine exprime :
☐ l'ennui ☐ la gaieté ☐ le découragement

• Construire un texte

1 Cherchez des idées en décrivant et en commentant les photos de la page 53.

2 D'après vous, que pensent les personnages des photos n°s 5, 8, 9, 10?

3 Pour chacune des photos de la page 53, écrivez une phrase.

4 Dans le résumé en photos de la page 53, il manque plusieurs événements importants.
Lesquels?
Ex. : l'arrivée de M. Duray à Nice...
Écrivez quelques phrases pour décrire ces événements.

5 Certaines des photos, page 53, ne sont pas placées dans l'ordre chronologique des événements.
Lesquelles?
Rétablissez l'ordre du feuilleton.

6 Mettez en ordre les phrases que vous avez déjà écrites (exercices 3 et 4 ci-dessus) pour obtenir la liste complète, dans l'ordre, des événements importants de l'histoire.

ÉMISSION **18**

OÙ HABITENT LES MATHIAS ?

OBJECTIFS

Découvrir

- **des lieux** : une vieille ferme, une place de village provençale
- **des gens** : une famille de paysans, un sculpteur sur bois d'olivier

Apprendre

- **à exprimer un besoin, un manque**
- **à décrire des objets**
- **à donner des conseils**
- **à louer et à encourager**
- **à exprimer la surprise et l'irritation**

et pour cela, utiliser

— des adjectifs qualificatifs épithètes

— des pronoms compléments

— quatre emplois de *si*

IMAGINEZ L'HISTOIRE...

les lieux	l'action	Posez-vous des questions.
1 à la ferme des Mathias		Que fait Laurent avec sa valise? Est-il devant un hôtel?
2 près de la ferme		Laurent apprend à traire les chèvres? Qui est cette jeune fille?
3 au café de la place		Martine fait la connaissance de monsieur Mathias?
4 sur la route, près de la ferme		Qu'est-ce que Bernard observe à la jumelle?

N'est-il pas un peu risqué d'envoyer un jeune homme un peu romantique comme Laurent vivre dans une ferme... même pour quelques jours?

PREMIÈRE PARTIE

Dans le bureau de *Lyon-Matin* et *Radio-Rivage*

Martine lit attentivement les petites annonces d'un journal.

Laurent : *(à Martine)*
Qu'est-ce que tu fais?
C'est urgent?

Martine : Très urgent! Et c'est aussi très important.
Je lis les petites annonces.

Laurent : Pourquoi? Tu cherches du travail?

Martine : Pour moi non, mais pour toi, oui.

Bernard : Comment? Laurent est renvoyé?
Il ne va plus travailler avec nous?

Laurent : Ecoutez, je n'aime pas beaucoup ces plaisanteries!

Martine : Il me faut un reportage sur la vie rurale en Provence, la vraie!

Laurent : Oui, et alors?

Martine : Alors, je cherche un emploi pour toi dans un petit village. Tu te présentes, on t'engage, tu découvres la vie des gens, et tu nous écris un grand article!

Laurent : Je trouve ça très gentil, mais tu pourrais me demander mon avis!

Martine : *(sans l'écouter)*
J'étais sûre que cette idée te plairait!
(Elle lit.) Alors, voyons... Ah!
« Recherchons jeune fille au pair pour famille nombreuse. »
Non, non, ça, ça ne va pas!

Bernard : *(à Martine)*
Tu es sûre?

Martine : A Tourette-sur-Loup, le café des Platanes a besoin d'un garçon de café pour la saison.

Bernard : *(désignant Laurent)*
Il est peut-être un peu maladroit pour être garçon de café, non?

Laurent commence à être agacé par tout cela.

Laurent : Oh! toi, occupe-toi de ton magnétophone.

Martine : Ça, c'est plus intéressant :
« Bergerie à Saint-Paul-de-Vence cherche aide pour l'été, nourri, logé. »

Laurent : Non, mais c'est incroyable!
Vous ne me demandez même pas si je suis d'accord!

Bernard : Aaah!
(Il tremble, debout devant son magnétophone.)
J'ai pris le courant... un coup terrible!

Xavier : *(très calme)*
Il faut couper le courant quand tu travailles sur les appareils!

Bernard : Eh... Ça arrive, non?

Dans un petit village, dans l'arrière-pays niçois

Laurent est reçu par Mathias.

Mathias : Oui, bonjour.

Laurent : Bonjour.

Mathias : Vous venez pour l'annonce?

ÉMISSION
18 OÙ HABITENT LES MATHIAS ?

Laurent : Oui.

Mathias : Mais vous êtes de la ville, vous ! Qu'est-ce que vous faites ?

Laurent : *(mentant tranquillement)* Je suis... étudiant.

Mathias : *(gêné)* Oh, étudiant... Mais c'est qu'ici, vous savez, le travail est dur ! Et c'est seulement pour quelques semaines.

Laurent : Le temps des vacances, oui, je sais. Mais ça me va.

Mathias : Puis vous savez, il n'y a pas beaucoup d'argent ici.

Laurent : Ce n'est pas grave ! Je veux surtout changer d'air.

Mathias : Eh bien alors, entrez. 〉

Mathias montre une petite chambre à Laurent.

Mathias : Eh bien, voilà ! Voilà votre chambre. Bon, il n'y a pas l'eau chaude mais, en cette saison, ce n'est pas grave.

Laurent : Non.

Mathias : Eh bien alors, on y va.

La famille est réunie pour le déjeuner.

Mathias : *(aux autres)* Voilà, je vous présente Laurent. Il va nous aider à la ferme pendant ses vacances. Ma femme, Hélène.

Hélène : Bonjour, jeune homme.

Laurent : Bonjour, Madame.

Mathias : Mireille, ma fille.

Mireille : Bonjour.

Laurent : Bonjour.

Mathias : Et mon père, Léon. Ici, tout le monde l'appelle grand-père.

Laurent : Bonjour, Monsieur.

Léon : Pas monsieur ! Léon ou grand-père ! Bonjour, Laurent.

Mathias : Asseyez-vous.

Mathias : Ah ! cet après-midi, vous vous occuperez des chèvres... et il faudra aussi les traire. Allez, bon appétit tout le monde.

Laurent essaye de traire les chèvres.

Laurent : *(les quatre fers en l'air)* La vache !...

Mireille vient au secours de Laurent.

Mireille : Ce n'est pas une vache, c'est une chèvre, et vous ne savez pas vous y prendre. Tenez, regardez, je vais vous montrer.

Mireille montre un tabouret de bois.

Mireille : 〈 Donnez-moi ça, s'il vous plaît.

Laurent : Ça sert à quoi ?

Mireille : ... A s'asseoir ! *(Elle rit.)* Moi, pas la chèvre !

Mireille se met à traire une chèvre.

Mireille : Voilà comment il faut faire ! Allez, à vous. Essayez.

Laurent essaie à son tour.

Mireille : Vous voyez que ce n'est pas si difficile !

Laurent : Non, ça va. Merci.

Laurent donne à manger aux animaux de la basse-cour. Mathias arrive et le regarde travailler.

Mathias : Ah... dis donc ! Ce n'est pas si mal pour un premier jour ! Ah ! avant le dîner, je vous emmène au village faire une pétanque. Ici, c'est la tradition.

Laurent : D'accord. 〉

Au studio de *Radio-Rivage*

Martine : *(au micro, en direct)* Dix-huit heures et vingt-cinq minutes sur *Radio-Rivage.* Dans quelques instants, nos informations de la côte d'Azur. Mais, en attendant, encore un peu de musique...

Martine : 〈 Alors ? Toujours pas de nouvelles de Laurent ?

Bernard : *(se moquant d'elle)* Non, Madame ! Le beau Laurent a disparu dans la campagne française. Il te manque ?

Martine : *(agacée)* Non ! Mais ça sert à quoi un téléphone ? Il pourrait quand même nous appeler !

Bernard : Il n'a peut-être pas le téléphone dans son étable !

Martine : Oh ! ça va... ! Bon, demain, nous irons voir ce qui se passe. 〉

DEUXIÈME PARTIE

Sur la place du village

Laurent fait une partie de pétanque avec Mathias et des gens du village.

Mathias : Allez, petit ! Doucement. Tu te places là...

Laurent lance sa boule.

Mathias : Oh ! Mais c'est ma boule que tu as enlevée ! Si tu continues comme ça, c'est toi qui vas le payer, le pastis !

Finalement Mathias et Laurent gagnent la partie.

Mathias : *(Il tape sur l'épaule de Laurent.)*
Enfin, ce n'est pas encore formidable... mais ça viendra, tu verras !

Dans la salle à manger

Après le dîner, chacun se retire dans sa chambre.

Mathias : Allez, bonsoir. Demain matin, six heures.

Laurent : Six heures ?

Mathias : Ah ! oui, petit. On se lève tôt à la campagne !

Tous : Bonsoir... bonsoir... bonsoir.

...

Laurent : Oh ! pardon. Je ne vous dérange pas ?

Léon : Entrez, entrez, jeune homme ! Ici, c'est chez moi, c'est mon domaine, venez ! Toute une vie de travail, mais aussi de bonheur. Je suis sculpteur, amateur bien sûr, mais je suis heureux de faire tout ça.

Le lendemain

Bernard et Martine arrivent dans le village. Ils se renseignent auprès d'un habitant.

Martine : Pardon, la ferme de monsieur Mathias, s'il vous plaît ?

L'habitant : Ah ! les Mathias ? C'est à la sortie du village, la route qui monte vers la montagne.

Martine : D'accord, merci.

L'habitant : Il n'y a pas de quoi.

Martine prend une paire de jumelles et découvre de loin Laurent en compagnie de Mireille.

Martine : Qu'est-ce qu'il fait ?

Bernard : Eh bien, il coupe de l'herbe.

Martine : *(très agacée)*
Merci, ça j'ai vu. Mais avec qui ?

Bernard : *(moqueur)*
Comment veux-tu que je sache ?
On est jaloux de son petit cousin ?

Martine : *(avec une parfaite mauvaise foi)*
Mais non ! Pas du tout ! Je dois le savoir, c'est tout.

Bernard : Et pourquoi ?

Martine : Parce que... parce que je suis responsable du bureau de Nice, je te le rappelle !

Bernard : Madame la directrice...

Sur une route

Laurent descend au village. La voiture de Bernard et Martine s'arrête près de lui. Laurent fait comme s'il ne les connaissait pas.

Martine : Tu pourrais donner des nouvelles !

Laurent : Pardon ? Bonjour, Madame, c'est à quel sujet ?

Martine : Oh, arrête, je ne trouve pas ça très drôle !

Laurent : Mais enfin, je ne comprends rien... Je suis un jeune étudiant qui travaille dans une ferme pour ses vacances !

Martine : Bon, quand tu auras fini de jouer la comédie !

Laurent : D'accord... Mais laissez-moi encore une journée.
Rendez-vous demain six heures, café du village. Ça vous va ?

ÉMISSION

18 OÙ HABITENT LES MATHIAS ?

Martine : *(pincée)*
Entendu, à demain.

Bernard : Dis donc, on t'a vu au travail, tout à l'heure.
Tu n'avais pas l'air de t'ennuyer !

Laurent : Oh ! ça va ! 〉

A la ferme

Laurent semble parfaitement heureux à la campagne.

Sur la route

Laurent et Mathias descendent au village.

Mathias : Tu sais, petit, je suis vraiment content de toi !
Tu es devenu un vrai champion à la ferme.
Ah ! dommage que tu joues si mal à la pétanque ! Enfin...

Sur la place du village

Laurent et Mathias arrivent au café. Martine et Bernard sont déjà installés.

Laurent : *(à Mathias)*
Je voudrais vous présenter deux amis : Martine Doucet...

Mathias et Martine : Bonjour.

Laurent : ...et Bernard Travers.

Mathias et Bernard : Bonjour.

Laurent : *(à Mathias)*
〈Vous savez... je vous ai raconté une histoire. Je ne suis pas étudiant.

Mathias : *(un peu surpris)*
Ah bon !
Remarque, ce n'est pas grave... ça ne t'empêche pas d'être travailleur. Dis, tu n'as rien fait de mal au moins ? Tu n'es pas recherché par la police ?

Laurent : *(Il rit.)*
Non ! Je suis journaliste.

Mathias : *(stupéfait)*
Journaliste ! Mais, un vrai journaliste ?

Martine : Oui, un vrai journaliste.

Mathias : Ah ! ça alors, c'est formidable ! Racontez-moi !

Martine : Eh bien, voilà. Toute cette histoire, c'est un peu de ma faute... 〉

A la ferme, dans la salle à manger

Toute la famille est réunie autour de Martine, Laurent et Bernard. Ils ont fini de raconter leur histoire.

Martine : 〈Voilà, vous savez tout maintenant !

Mathias : *(à Laurent)*
Remarque, nous, on ne t'en veut pas, petit. Seulement, on te regrettera... pas vrai Mireille ?

Mireille : Oh ! Papa...

Laurent : Je n'ai rien dit parce que nous voulions un vrai reportage sur la vie d'une famille, dans un petit village à la campagne.

Léon : Et on aura notre photo dans le journal ?

Bernard : *(prenant des photos)*
Exact !

Mathias saisit le bras de Bernard et lui tâte le biceps.

Mathias : Oh dis donc ! Mais il n'est pas bien solide, celui-là ! *(à Martine)* Il faudra nous l'envoyer un mois ou deux travailler à la ferme !

Bernard : *(effrayé à cette idée)*
Non... non... non... non merci, sans façon ! 〉

AVEZ-VOUS BIEN SUIVI L'HISTOIRE ?

1 Mettez les événements dans le bon ordre.

a. Martine et Bernard rencontrent Laurent sur la route : il veut rester un jour de plus.
b. Le soir, Laurent joue à la pétanque avec Mathias et ses amis.
c. Laurent avoue à Mathias qu'il a travaillé chez lui pour faire un reportage.
d. Laurent doit prendre un emploi dans une ferme.
e. Mireille aide Laurent à traire les chèvres.
f. Martine et Bernard retrouvent Laurent et Mathias au café du village.
g. Martine s'inquiète parce qu'elle n'a pas de nouvelles de Laurent.
h. Martine et Bernard observent Laurent avec des jumelles.

2 Qui dit ces phrases ?

a. Comment ? Laurent est renvoyé ?
b. Écoutez, je n'aime pas beaucoup ces plaisanteries !
c. J'étais sûre que cette idée te plairait...
d. Oh ! toi, occupe-toi de ton magnétophone.
e. Tenez, regardez, je vais vous montrer.
f. Bon, quand tu auras fini de jouer la comédie !

3 Éliminez les phrases qui ne sont pas des compliments.

a. Il est peut-être un peu maladroit pour être garçon de café, non ?
b. Vous ne savez pas vous y prendre.
c. Ce n'est pas si mal pour un premier jour !
d. Si tu continues comme ça, c'est toi qui vas le payer, le pastis !
e. Ce n'est pas encore formidable... mais ça viendra, tu verras !
f. Tu es devenu un vrai champion à la ferme !

4 Vrai ou faux ?

a. L'idée d'aller travailler dans une ferme ne plaît pas trop à Laurent.
b. Laurent travaille chez les Mathias, mais il loge dans le village.
c. Laurent prétend qu'il est étudiant.
d. Mireille trouve Laurent très sympathique.
e. Léon est un ami de la famille Mathias.
f. Mathias ne pardonne pas à Laurent de ne pas lui avoir dit la vérité.

5 Qu'est-ce qu'ils disent ?

ÉMISSION 18

REPORTAGE

ARTISTES, ARTISANS

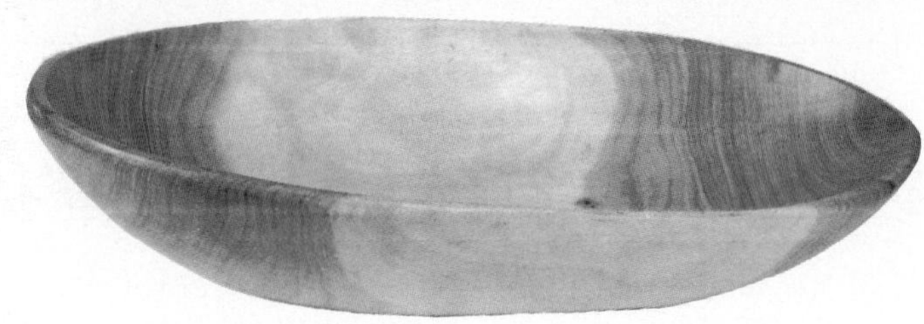

Coupe en bois d'olivier

Un sculpteur sur bois

L'interviewer

L'olivier est le symbole de la Provence. Avec ses souches et son bois, on fabrique toutes sortes d'objets.
Léon, en plus du travail de la ferme, est sculpteur sur bois d'olivier.

L'interviewer

Léon, depuis quand êtes-vous installé dans la région ?

Léon

Je suis né ici, Monsieur. C'est ici que j'ai appris mon métier, chez un artiste de village.
J'ai appris à aimer ce bois, à chercher la forme des objets, dans la forme de ses veines.

L'interviewer

Comment faites-vous pour créer un objet ?

Léon

Je prends un bloc de bois et je le regarde. Je suis la forme de ses nervures. Je pense à un objet à sculpter, et je commence à tailler le bois avec une herminette.
Il faut savoir le sens du bois, et faire bien attention. On taille, on taille, et l'objet prend forme.
Ensuite, je me sers d'une fraise, comme les dentistes. Et puis, je polis, je ponce... je passe de l'huile... je ponce à nouveau... je lustre... C'est long, vous savez !

L'interviewer

Combien de temps vous faut-il pour créer un objet comme ce saladier, par exemple ?

Léon

Je dirais plus de deux jours, en travaillant une dizaine d'heures par jour.
Personne ne veut payer le prix que ça coûte !
Les gens ne se rendent pas compte. Ils préfèrent acheter des objets faits en usine. Ça coûte moins cher !

L'interviewer

Mais, c'est beaucoup moins beau. Ce saladier est splendide ! A qui vendez-vous ?

Léon

A des touristes... à des gens de passage. Il y en a qui viennent me voir tous les ans... pour parler. J'ai beaucoup d'amis, vous savez !

L'interviewer

Qu'est-ce que vous conseilleriez à un jeune ?

Léon

S'il a le don, et la volonté, je l'encouragerais. Mais je lui dirais la vérité : « Petit, tu vas travailler beaucoup et tu ne vas rien gagner. »

Picasso, Poterie

Souvenir de Vallauris...

Ces trois mots, reproduits à d'innombrables exemplaires sur les plats, les soucoupes, les vases, les cendriers, ont fait connaître partout le nom de Vallauris, la capitale de la céramique.

Mais, pour trouver une jolie pièce dans l'un des deux cents magasins de poterie de la ville, il faudra à l'amateur d'art et de beaux objets beaucoup de courage et de patience. Et s'il ne trouve pas l'objet rêvé dans la rue principale où se presse la foule des touristes, il pourra toujours trouver refuge dans les rues pittoresques de la vieille ville, entrer dans l'église au clocher carré, visiter l'atelier Madoura, celui où Picasso a redonné vie à l'art de la céramique en 1947... et emporter son « souvenir de Vallauris », le vrai.

La sculpture sur bois d'olivier est un artisanat qui se perd. Seuls, une quinzaine d'artisans, comme le père Léon, continuent à travailler et à polir amoureusement le bois d'olivier. Mais ils ne peuvent plus faire face à la concurrence industrielle.

J'ai vu le menuisier
Tirer parti du bois.

J'ai vu le menuisier
Comparer plusieurs planches.

J'ai vu le menuisier
Caresser la plus belle.

J'ai vu le menuisier
Approcher le rabot.

J'ai vu le menuisier
Donner la juste forme.

Tu chantais, menuisier,
En assemblant l'armoire.

Je garde ton image
Avec l'odeur du bois.

Moi j'assemble des mots
Et c'est un peu pareil.

Guillevic, *Terre à bonheur,*
1952, © Seghers

- Léon est un artisan, « une personne qui fait un travail manuel à son propre compte ». Est-il aussi un artiste ?
- La sculpture sur bois d'olivier est le « jardin secret » de Léon. Expliquez.

ÉMISSION **18**

POUR COMPRENDRE ET POUR VOUS EXPRIMER

1 Exprimer un besoin ou un manque

- Martine a besoin d' | un reportage sur la vie à la campagne.
- Il lui faut | un reportage sur la vie à la campagne.
- Ce reportage lui manque, elle a besoin de ce reportage.

▶ Et vous, de quoi avez-vous besoin?

Ex. : J'ai besoin d'argent; il me faut des vacances; le soleil me manque...

Continuez.

2 L'ordre des mots dans le groupe du nom

avant le nom						*après le nom*
déterminants	nombres	quelques adjectifs qualificatifs			**NOM**	tous les autres adjectifs
le, la, les		nouveau				
	deux		bon			
mon...	premier		mauvais			rouge
	trois	jeune				
	deuxième					
	...			grand		magnifique
		vieux				
ce...			vrai			
		cher	faux			
un, une, du...						pittoresque
			joli			
				petit		dur
			beau			
			long			sincère
			court			

▶ Laurent a pris des notes à la ferme des Mathias pour son reportage. Complétez- les avec des adjectifs.

Ex. : C'est une ... ferme ...
C'est une jolie petite ferme pittoresque.

a. Les Mathias sont des gens ...
b. Le ... jour, j'ai pensé que le travail de la ferme était ...
c. Mireille est une ... jeune fille.
d. Il y avait de ... nuits ...

Certains adjectifs changent de sens quand ils sont placés avant ou après le nom.

grand Marc est un grand homme. C'est aussi un homme grand : il mesure plus de 1,90 m.

dernier le dernier mois de l'année (décembre) le mois dernier

3 La place des pronoms compléments

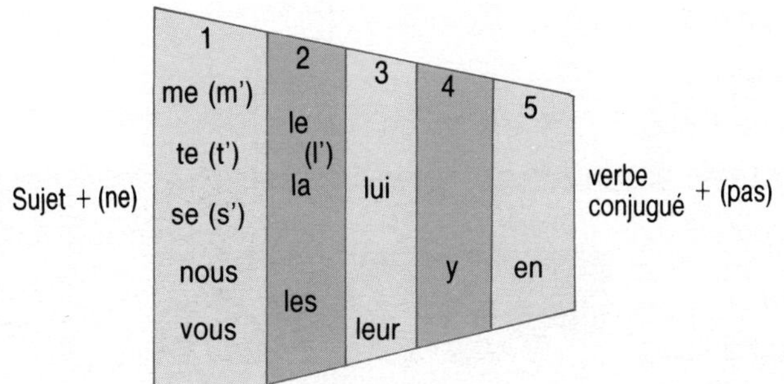

Règle

1. On ne peut pas utiliser plus de deux pronoms à la suite.
2. Il faut utiliser ces pronoms compléments soit seuls, soit dans les combinaisons 1-2, 2-3, 2-4, 3-5, 1-4, 1-5.

L'ordre des pronoms est différent quand le verbe est à la forme affirmative de l'impératif (voir p.151).

1-2 Ce grand article, tu nous l'écris?

2-3 Martine le lui rappelle (le = qu'elle est responsable du bureau de Nice).

2-4 Tu l'y enverras (y = au village).

3-5 Ne leur en donnez pas (en = de l'herbe).

1-4 Il vous y conduira (y = au café).

1-5 Vous nous en montrerez (en = des photos).

▶ Réagissez en exprimant votre surprise.

Ex. : Léon a montré ses objets à Laurent. → Comment! Léon les lui a montrés?

a. Léon a demandé à Laurent de l'appeler «grand-père».
b. Laurent s'est servi du tabouret.
c. Mathias a emmené Laurent au village.
d. Laurent a avoué son mensonge à ses nouveaux amis.

4 «si»

- Laurent ne sait pas traire les chèvres?
  — **Si,** il sait les traire.
  si = réponse après une question négative qui porte sur toute la phrase.
- C'est **si** bon!
  si + adjectif
- Tu joues **si** mal!
  si + adverbe
- **Si** ça continue, tu vas payer le pastis.
  «si» introduit une condition.
- On ne me demande même pas **si** je suis d'accord.
  «si» introduit une interrogation indirecte.

• Comprendre les intonations et les mimiques

1 Au début de l'épisode 18, Laurent est agacé, irrité même par le comportement de Martine et les moqueries de Bernard. Ensuite, c'est Martine qui est agacée...
a. Revoyez l'épisode et notez les passages où apparaissent l'agacement et l'irritation.
b. Écoutez les phrases suivantes et mettez une croix dans la case quand la phrase exprime l'agacement ou l'irritation.

Ex. : Écoutez, je n'aime pas beaucoup ces plaisanteries.	X
a. Tu pourrais me demander mon avis.	
b. Oh, toi, occupe-toi de ton magnétophone.	
c. Vous ne me demandez même pas si je suis d'accord. ...	
d. Mais à quoi ça sert, un téléphone.	
e. Il pourrait peut-être nous appeler.	
f. Oh, arrête, je ne trouve pas ça drôle.	
g. Bon, quand tu auras fini de jouer la comédie.	

2 Qu'exprime le visage de Laurent ?
Vous pouvez cocher plus d'une case.

a. Sur la photo n° 2 page 65, Laurent a l'air :
☐ ironique ☐ de bonne humeur ☐ surpris

b. Sur la photo n° 3, Laurent a l'air :
☐ intéressé ☐ ennuyé ☐ découragé

c. Sur la photo n° 4, Laurent a l'air :
☐ un peu triste ☐ gêné ☐ surpris

• Construire un texte

1 Cherchez des idées et écrivez une phrase pour chaque photo de la page 65.

2 Essayez de deviner ce que pensent ou ressentent les personnages chaque fois que c'est possible (par exemple, sur les photos n°s 3, 7, 8, 11) et complétez vos phrases.
Ex. : Sur la photo n° 1, Martine veut envoyer Laurent dans une ferme pour faire un reportage. Elle a l'air moqueur.

3 Cherchez et décrivez les événements qui ne sont pas représentés dans le résumé en photos de la page 65.

4 Mettez bout à bout, et dans l'ordre des événements de l'histoire, les phrases que vous avez écrites (exercice 1 ci-dessus). Est-ce qu'elles font un texte cohérent ? Quelles modifications faut-il faire ?

18

ÉMISSION 19

A LA PÊCHE AUX AMPHORES !

OBJECTIFS

Découvrir

- **des lieux** : le port de Villefranche-sur-Mer
- **des gens** : un homme qui vend des amphores, un patron pêcheur

Apprendre

- **à refuser**
- **à donner des conseils**
- **à exprimer des sentiments et des émotions** : la surprise, l'admiration, l'irritation, le découragement...

et pour cela, utiliser

— les pronoms compléments avec l'impératif

— *Comme/Que* + phrase

— *Quel/Quelle/Quels/Quelles* + nom

— le conditionnel dans ses différents emplois

IMAGINEZ L'HISTOIRE...

les lieux	l'action	Posez-vous des questions.
1 sur le port de Villefranche	1	Où vont nos trois amis?
2 sur le bateau du patron pêcheur	2	Qu'est-ce que Martine et Bernard ont découvert?
3 dans la cave aux amphores	3	Martine est en visite?
4 à une exposition d'amphores	4	A qui Martine fait-elle un discours?

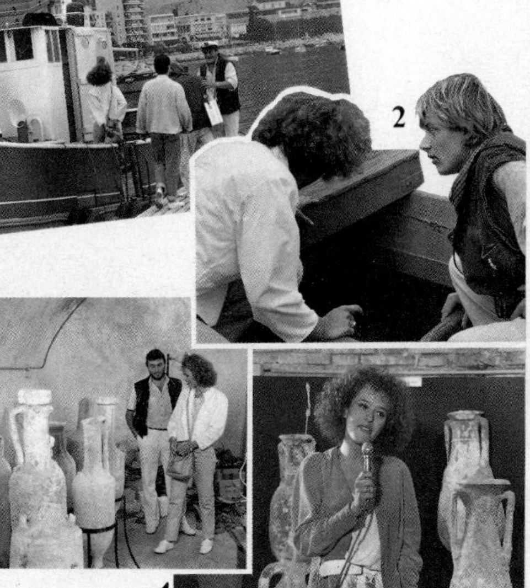

Quand on va à la pêche, on ne sait pas toujours ce qu'on va trouver... surtout si on est journaliste!

PREMIÈRE PARTIE

Dans l'appartement de Laurent et Bernard

Bernard dort. Il reçoit un oreiller en pleine tête qui le réveille brusquement.

Bernard : Qu'est-ce que c'est ?

Laurent : Debout ! C'est dimanche !

Bernard : Ce n'est pas vrai ! De toute façon, je ne veux pas le savoir... Je veux dormir.

Laurent : Allez, viens, on va à la pêche... *(Il le secoue.)*

Bernard : *(faussement fâché)* Mais... Je t'interdis de me toucher !

Laurent : Allez, dépêche-toi. J'appelle Martine.

Sur le port de Villefranche

Laurent : Bonjour.

Le loueur : Bonjour.

Laurent : C'est combien ?

Le loueur : Trois cents francs.

Bernard : Trois cents francs, c'est pour la journée ?

Le loueur : Oui, mais... ramenez-le-moi ce soir, avant sept heures.

Bernard : D'accord.

ÉMISSION **19** **A LA PÊCHE AUX AMPHORES !**

Ils montent sur le bateau et s'éloignent du port.... Ils pêchent en mer.

Martine : Ça mord ?

Bernard : Non, rien ! Pas le plus petit poisson !

Martine : Ce n'est peut-être pas un bon jour !

Laurent : Peut-être pas !

Soudain, Bernard pousse un cri...

Bernard : Oh ! Ça y est, ça mord ! Cette fois, ça mord !

Bernard tombe à l'eau.
Martine et Laurent l'aident à remonter à bord, en hurlant de rire !

Bernard : *(suffocant, de l'eau plein la bouche)*
Ce n'est pas... ce n'est pas drôle ! Je vous interdis de rire !

Laurent : Tomber à l'eau, c'est vraiment ta spécialité, toi !

Martine : Rappelle-toi Annecy !

Dans l'appartement de Laurent et Bernard

Le dimanche suivant, Bernard qui dort encore reçoit (de nouveau) en pleine tête un oreiller et se réveille brusquement.

Bernard : Qu'est-ce que c'est ?

Laurent : Debout, c'est dimanche !

Bernard : Encore !

Laurent : Allez, viens, on va à la pêche !

Bernard : Oh ! pas question !

Laurent : Mais si ! Cette fois-ci nous allons pêcher avec de vrais pêcheurs...
Allez... debout ! Hop !

Sur le port de Villefranche

Martine, Laurent et Bernard se dirigent vers un bateau de pêche.

Le patron : Voilà nos pêcheurs amateurs... Eh bien ! C'est la première fois que je prends des journalistes à bord. Allez-y. Voilà. Ça va ?

Laurent : Oui.

***Le bateau quitte le quai. Bernard prend des photos, Martine sort le petit magnétophone de* Radio-Rivage.**

Martine : Il est dix heures, nous allons quitter le port de Villefranche.
C'est monsieur Antoine qui est le patron de ce bateau. Alors qu'est-ce que nous allons pêcher, aujourd'hui ?

M. Antoine : Eh bien, nous pêcherons de la sardine, du maquereau, et, si tout va bien, nous prendrons aussi du mérou.

En mer

Laurent n'a pas l'air très à son aise.

M. Antoine : *(à Laurent)*
⟨ Eh ! Ça n'a pas l'air d'aller très bien !

Laurent : Je ne sais pas ce que j'ai, mais...

M. Antoine : Ce que vous avez, pardi ! C'est le mal de mer !

Laurent : Oh !

M. Antoine : Eh oui, allez, couchez-vous à l'arrière. Ça ira mieux ! Allez. ⟩

Martine et Bernard ont découvert un objet curieux. A ce moment-là, arrive monsieur Antoine.

M. Antoine : ⟨ Et alors, les journalistes ! Vous êtes bien curieux ! C'est une petite amphore romaine. Elle contenait probablement de l'huile. On en trouve encore par ici, parce qu'Antibes et Villefranche, c'étaient des grands ports. Il y avait beaucoup de galères qui transportaient le vin et l'huile entre Rome et la Gaule. Moi, cette amphore, je la garde en souvenir. Je n'en fais pas le trafic !

Martine : Du trafic ?

M. Antoine : Eh oui, normalement, on doit déclarer les amphores qu'on trouve. Et elles vont le plus souvent dans les musées.
Mais il y en a qui préfèrent les revendre très cher.

Bernard : Et on les trouve où, ces amphores ?

M. Antoine : Eh ! Je ne suis pas là pour dire du mal des autres, moi.
Renseignez-vous sur le port ! Faites savoir que vous êtes acheteur... ⟩

Sur le pont du bateau

La pêche est terminée, on rentre au port. M. Antoine est en train de manger une sardine crue. Il en tend un morceau à Laurent.

M. Antoine : Alors, vous en voulez un morceau ? C'est excellent contre le mal de mer.

Laurent : Sûrement pas, non !

M. Antoine : Juste un bout ?

Laurent : Pas question !

M. Antoine : Vous avez tort !

DEUXIÈME PARTIE

Dans le port de Villefranche

Le bateau arrive à quai.

M. Antoine : Voilà. On est arrivé ! Maintenant, ça va aller mieux ! Allez, bonne chance.

Martine : Au revoir !

M. Antoine : Au revoir.

Martine : *(aux garçons)* J'ai très envie d'en savoir davantage sur cette histoire d'amphores !

Bernard : Oui, moi aussi.

Laurent : D'accord.

Martine : Bon ! On va chacun de son côté et on essaie de se renseigner.

Martine (voix off) : C'est ainsi que, tout l'après-midi, Laurent, Bernard et moi avons interrogé des dizaines et des dizaines de personnes, dans les rues et sur le port de Villefranche. A tous, nous posions la même question : « Savez-vous où nous pourrions acheter une amphore ancienne ? »

Ils se retrouvent dans un café.

Bernard : Alors ?

Laurent : Alors... rien !

Le garçon : Bonjour, Messieurs-Dames. Qu'est-ce que vous prenez ?

Martine : Un jus d'orange.

Bernard : Un pastis.

Laurent : Une eau minérale.

Le garçon : Très bien.

Le garçon revient avec les consommations.

Le garçon : Un jus d'orange... un pastis... et une eau minérale... Ça, c'est un cadeau de la maison, une petite friture.

Laurent : Du poisson, surtout pas !

Bernard : Eh, dis donc, parle pour toi ! Nous, nous en voulons, nous en voulons !

Martine : Absolument ! Merci, Monsieur.

Bernard : *(moqueur)* Eh bien, mon pauvre, ça ne va toujours pas ?

Laurent : Toi, laisse-moi tranquille !

Martine : Les garçons, du calme ! Vous feriez mieux de penser aux choses sérieuses ! Pour les amphores, vous avez du nouveau ?... Eh bien moi, si ! J'ai rendez-vous ce soir pour en acheter une. Ça, c'est l'adresse.

Martine frappe à la porte d'une maison. Bernard et Laurent se cachent.

L'homme : C'est vous ? Entrez !

Dans une grande pièce sont rangées une douzaine de magnifiques amphores.

L'homme : Voilà ce que j'ai...

Martine : Qu'elles sont belles ! C'est formidable !

L'homme : J'ai différents prix, ça va de quinze à soixante mille francs.

Martine : C'est cher !

L'homme : Ce sont des pièces rares !

Martine : Ah oui ? Mais... j'en ai vu souvent dans les musées !

L'homme : Dans les musées, oui, mais... à vendre, c'est autre chose...

ÉMISSION 19 A LA PÊCHE AUX AMPHORES !

A ce moment, on voit le flash d'un appareil photo. Bernard et Laurent ont fait irruption dans la pièce.

L'homme : Qu'est-ce que c'est que ça ?

Bernard : Je prends des photos.

Martine sort un petit magnétophone de son sac.

Martine : Et moi, j'ai enregistré notre conversation.

L'homme : *(atterré)*
Ah ! vous êtes de la police ?

Laurent : *(avec humour)*
Non, pourquoi ?

Martine : ⟨ Ecoutez, nous sommes journalistes, pas policiers.
Essayez de nous raconter cette histoire d'amphores...

L'homme : Ça a commencé il y a deux ans. Avec un ami, nous avons acheté des équipements de plongée sous-marine et un bateau.
Puis, coup de chance, nous avons découvert près d'Antibes les restes d'une galère romaine.
Nous avons remonté des pièces de monnaie et des amphores.
Normalement, il fallait déclarer nos découvertes à la police maritime... et les donner aux musées nationaux, mais... nous avions acheté le bateau à crédit.
Nous avions besoin d'argent...

Martine : Moi, à votre place, j'irais tout apporter au musée d'Antibes. ⟩

L'homme : Comment voulez-vous que je déclare les amphores maintenant ! Je n'ose pas... J'ai peur des ennuis.

Laurent : Nous allons arranger ça, je vous promets que vous n'aurez pas d'ennuis.

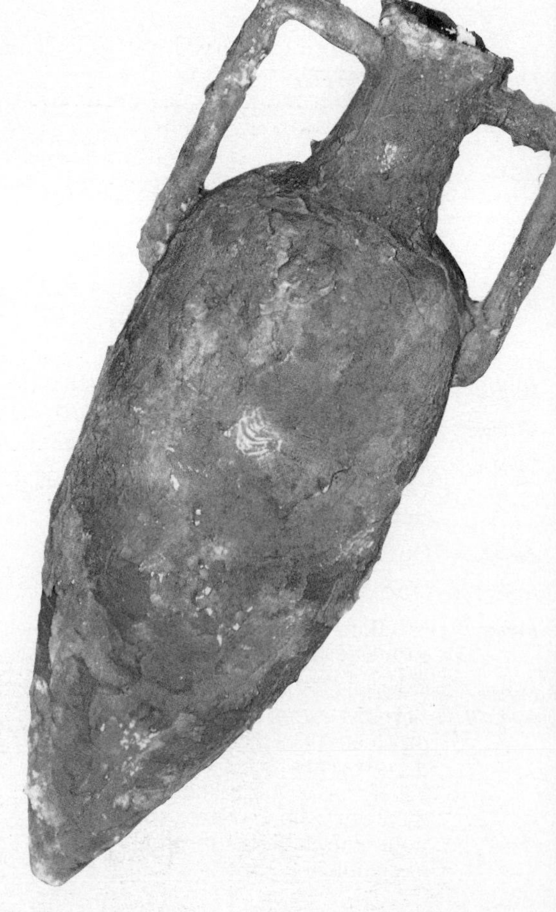

Au musée d'Antibes...
Les amphores sont exposées.

Martine : Nous sommes fiers, mes camarades de *Radio-Rivage* et moi-même, d'avoir découvert monsieur Orena, un homme modeste et timide qui n'osait pas montrer sa superbe collection d'amphores romaines et qui... encouragé par nous, a décidé d'en faire don au musée de notre ville !
... Bravo et merci monsieur Orena !

AVEZ-VOUS BIEN SUIVI L'HISTOIRE

1 Mettez les événements dans le bon ordre.

a. Martine et Bernard découvrent une amphore dans le bateau.
b. Martine a rendez-vous avec un vendeur d'amphores.
c. Laurent tire Bernard du lit.
d. Laurent a le mal de mer et refuse de manger du poisson cru.
e. Martine persuade le vendeur d'amphores de les donner au musée.
f. Les trois amis font leur enquête sur le port.
g. Martine, Laurent et Bernard louent un bateau pour aller pêcher.

2 Qui dit ces phrases ?

a. Tomber à l'eau, c'est vraiment ta spécialité, toi !
b. Je vous répète que... ce n'est pas drôle !
c. C'est la première fois que je prends des journalistes à bord.
d. Mais il y en a qui préfèrent les revendre très cher.
e. Je n'ose pas... J'ai peur des ennuis.
f. Nous allons arranger ça, je vous promets.

3 Éliminez les phrases qui ne sont pas des conseils.

a. Couchez-vous à l'arrière. Ça ira mieux !
b. Renseignez-vous sur le port... Faites savoir que vous êtes acheteur.
c. Laisse-moi tranquille !
d. Vous feriez mieux de penser aux choses sérieuses !
e. Voilà ce que nous allons faire...
f. Moi, à votre place, j'irais tout apporter au musée d'Antibes.

4 Vrai ou faux ?

a. Bernard refuse de se lever pour aller à la pêche.
b. Le loueur de bateaux demande trois cents francs pour la journée.
c. Ils prennent beaucoup de poissons.
d. M. Antoine leur dit ce qu'ils vont pêcher.
e. M. Antoine ne veut pas leur dire où on peut acheter des amphores.
f. Martine va chez un homme qui lui vend une belle amphore.

5 Qu'est-ce qu'ils disent ?

REPORTAGE

CONTRE VENTS ET MARÉES

LA MARÉE HAUTE
" " BASSE

Villefranche : le port de pêche

Un pêcheur du port de Villefranche-sur-Mer

L'interviewer

Nous sommes sur le port de Villefranche, entre Nice et Monte-Carlo. Monsieur Antoine est un vrai pêcheur, comme il n'en reste plus beaucoup ! Alors, la pêche, ça marche ?

M. Antoine

Pas très fort encore. Vous savez, la saison, ça commence à peine. Mais, quand il y a du poisson, il faut aller le chercher... J'aime la mer. J'aime être sur le bateau. Et quand ça mord, on y reste des fois quinze heures par jour... et puis, il n'y a pas de samedis, ni de dimanches !

L'interviewer

Mais, quand vous êtes chez vous ou au port, comme aujourd'hui, comment savez-vous qu'il y a du poisson en mer ?

M. Antoine

Oh, ça se sait vite. On se le dit entre pêcheurs. Et puis, la radio, ça sert à quelque chose, non ? Quand il y a un banc de poissons, on y va tous. On est des fois cinquante, soixante bateaux...

L'interviewer

Mais alors, la pêche, c'est facile !

M. Antoine

Oh, surtout, ne croyez pas ça. Le mérou, par exemple, il se bat dans l'eau. Bon, ceux-là c'est des petits. Mais, des fois, ça peut durer dix minutes comme ça peut durer des heures pour en remonter un.

L'interviewer

Et... vous en ramenez beaucoup ?

Quel vent souffle sur les vingt-sept ports de plaisance de la côte d'Azur, amenant avec lui les amoureux de la mer? Du simple voilier au yacht de milliardaire, c'est plus de 45 000 bateaux qui sillonnent la Méditerranée de Menton à Marseille. Peu à peu, ils prennent la place des bateaux de pêche qui se réfugient dans de petits ports comme Bandol, Saint-Raphaël, Villefranche. Ne perdez pas de temps si vous voulez encore voir des pêcheurs réparer leurs filets sur la plage... Ils seront bientôt trop occupés à promener les touristes!

Antoine

ans une bonne journée, je fais ent cinquante à deux cents ki-os de poisson : des sardines, des mérous, des maquereaux... Mais après, il faut le vendre! Et on ne peut pas le garder plus de vingt-quatre heures. Et les pois-sonniers, ils le savent, alors ils en profitent! Il ne faut pas qu'il soit trop gros... mais il ne faut pas qu'il soit trop petit... Ou alors ils en ont déjà... Et ils finissent par vous l'acheter huit à dix francs le kilo... Vous vous rendez compte!

L'interviewer

Et votre métier, c'est rentable?

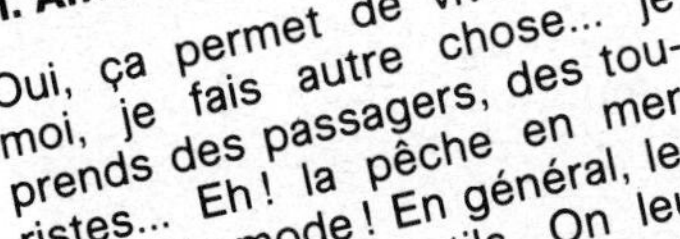

M. Antoine

Oui, ça permet de vivre. Mais moi, je fais autre chose... je prends des passagers, des tou-ristes... Eh! la pêche en mer, c'est à la mode! En général, les gens, ils sont gentils. On leur explique, et puis on pêche un peu pour eux... Vous voyez, moi j'ai trente-neuf ans, j'aime mon métier, je me sens bien, et je vis comme je veux.

Poisson

Les poissons, les nageurs, les bateaux
Transforment l'eau.
L'eau est douce et ne bouge
Que pour ce qui la touche.

Le poisson avance
Comme un doigt dans un gant,
Le nageur danse lentement
Et la voile respire.

Mais l'eau douce bouge
Pour ce qui la touche,
Pour le poisson, pour le nageur,
Pour le bateau
Qu'elle porte
Et qu'elle emporte.

Paul Éluard, *Les animaux et leurs hommes,*
1920, © Gallimard

Proverbe provençal :
« Un poisson vit dans l'eau et meurt dans l'huile. »

- Quelle sorte de pêche pratiquent M. Antoine et les petits patrons pêcheurs de la Côte?
- Pourquoi les pêcheurs de la Côte abandonnent-ils la pêche? A quelles autres activités préfèrent-ils se consacrer?

ÉMISSION **19**

POUR COMPRENDRE ET POUR VOUS EXPRIMER

1 La place des pronoms compléments après l'impératif à la forme affirmative

Voici les trois combinaisons possibles :

impératif (forme affirmative) +

le la les	moi lui nous leur	Donne-**le-moi.**
m' lui nous leur	en	Offre-**leur-en.**
y	Vas-**y**.	

⚠ N'oubliez pas les traits d'union (-)!

▶ Transformez les phrases suivantes.

Ex. : Ne nous donne pas ces poissons.
→ Si, donne-les-nous.

a. Ne leur donne pas de renseignements.
b. Ne me ramenez pas le bateau.
c. Ne va pas à la pêche.
d. Ne lui dites pas le prix.

2 Exprimer des sentiments et des émotions

	+ phrase
Comme	Martine travaille bien! ces photos sont belles!
Que/qu'	il fait chaud! c'est ennuyeux!

⚠ Attention aux accents d'insistance et à l'intonation.

	+ groupe nominal
Quel	(bon) parfum!
Quelles	photos (remarquables)!
Quels **Que de**	poissons!

▶ Transformez ces phrases.

Ex. : Il fait beau. → Qu'il fait beau!

a. C'est drôle.
b. Ces poissons sont gros.
c. Ces amphores sont chères.
d. M. Orena a peur.

▶ Transformez ces phrases affirmatives en phrases exclamatives.

Ex. : C'est un bon parfum.
→ Quel bon parfum!

a. C'est un grand bateau.
b. C'est un joli port.
c. Ce sont des amphores magnifiques.
d. Ce sont des prix élevés.

▶ Qu'est-ce que Laurent pourrait dire sur...

1. les Mathias
2. la ferme
3. le village
4. la campagne
5. le travail à la ferme
6. les animaux

3 Accepter ou refuser sans employer « oui » ou « non »

a. *Oui :*

Avec plaisir.
Certainement.
Tout de suite.

b. *Ni oui, ni non :*

Peut-être.
Je vais voir.
Pas maintenant.

c. *Non :*

Surtout pas.
Pas question.
Moi, tu plaisantes !

▶ Cherchez, dans le dialogue pp. 67 à 70, d'autres expressions utilisées par les personnages pour dire non.

▶ Selon vous, les réponses suivantes signifient-elles : oui / non / ni oui ni non ?

a. Tu viens ? — Attends...
b. Tu fais ton reportage ?
   — Mais.. c'est déjà fait.
c. Vous vendez des amphores ?
   — Pas vraiment.
d. Vous allez me dénoncer ?
   — Probablement.
e. Vous avez peur des ennuis ?
   — Vous savez pourquoi.
f. Tu viens à la pêche ?
   — J'ai autre chose à faire.

4 Le conditionnel

Le conditionnel sert à exprimer :

1. un souhait

   M. Orena ne **voudrait** pas avoir d'ennuis.
   J'**achèterais** bien une amphore.

2. une possibilité (avec le verbe « pouvoir »)

   Savez-vous où nous **pourrions** acheter une amphore ?

3. la conséquence d'une hypothèse

   Si j'avais de l'argent, j'**achèterais** une amphore.

4. un conseil

   Si j'étais à votre place, j'**irais** tout apporter au musée d'Antibes.

5. une demande (formulée poliment)

   Je **voudrais** vous poser une question.
   Voudriez-vous m'aider à trouver une amphore ?

▶ Donnez des conseils à M. Orena (utilisez le conditionnel).

Ex. : Vous ne devriez plus vendre d'amphores.

Ne pas vendre d'amphores, les déclarer, arrêter son trafic, revendre son bateau, vivre de sa pêche...

▶ Que feriez-vous si vous aviez de l'argent, du temps, des vacances, etc. ?

• Comprendre les intonations et les mimiques

1 Vous allez entendre des phrases exprimant l'irritation (I), le découragement (D) ou l'admiration (A). Mettez une croix dans la colonne qui correspond au sentiment exprimé.

	I	D	A
Ex. : De toute façon, je ne veux pas le savoir!	X		
a. Qu'est-ce que c'est?			
b. Non, rien, pas le plus petit poisson!			
c. Ce n'est pas drôle! Je vous interdis de rire!			
d. Toi, laisse-moi tranquille!			
e. Qu'elles sont belles!			
f. Qu'est-ce que c'est que ça?			
g. C'est formidable!			
h. Ah, vous êtes de la police?			

2 Qu'expriment leurs visages?
Vous pouvez cocher plus d'une case.

a. Sur la photo n° 1 page 77, Laurent a l'air :
☐ agressif ☐ indifférent ☐ ironique

b. Sur la photo n° 4, Laurent a l'air :
☐ malade ☐ souriant ☐ dégoûté

c. Sur la photo n° 8, Martine a l'air :
☐ irrité ☐ intéressé ☐ moqueur

d. Sur la photo n° 10, Martine a l'air :
☐ admiratif ☐ content ☐ indifférent

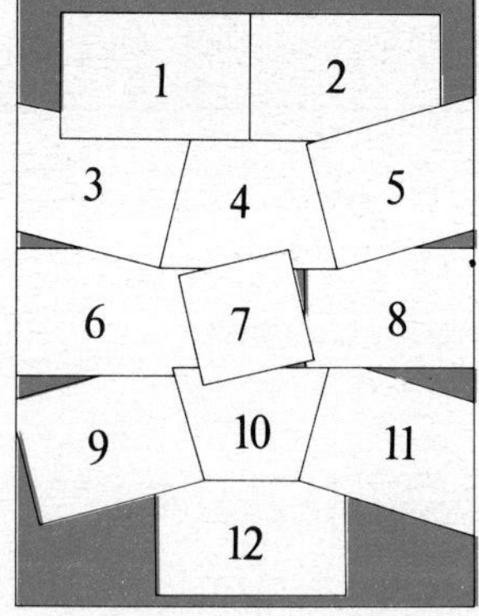

• Construire un texte

1 Écrivez une phrase pour chaque photo de la page 77; pour les photos n°s 1, 4, 9, 10 et 11, essayez de décrire les pensées et les intentions des personnages.

2 Cherchez et décrivez les événements qui ne sont pas représentés dans le résumé en photos.

3 Mettez bout à bout, dans l'ordre des événements de l'histoire, les phrases que vous avez écrites (exercice 1 ci-dessus).

4 Faites les modifications qui feront de votre série de phrases un texte cohérent.

a. Ajoutez des mots de liaison pour marquer :
— le temps, la chronologie des événements (puis, ensuite, enfin, quand..., après...),
— le lieu : sur le port, sur le bateau, sur le pont arrière, dans la cale...

b. Marquez bien les enchaînements et les liens logiques (coordination, but, cause, conséquence...).

c. Évitez les répétitions en utilisant des synonymes ou des pronoms.

NICE
FILETS

ÉMISSION **20**

ET MAINTENANT, À TABLE !

OBJECTIFS

Découvrir

- **des lieux** : trois restaurants très différents
- **des gens** : la patronne d'un restaurant, des serveurs et des clients, un chef cuisinier

Apprendre

- **à choisir et à commander des plats**
- **à inviter quelqu'un**
- **à donner son avis**
- **à réclamer et à contredire**

et pour cela, utiliser

— les partitifs

— *pas de, pas du*

— le plus-que-parfait

IMAGINEZ L'HISTOIRE...

les lieux	l'action	Posez-vous des questions.
1 dans un restaurant de luxe	1	Pourquoi Martine est-elle seule ?
2 dans un autre restaurant	2	Tous nos amis sont là. Ont-ils l'air heureux ?
3 au bureau de *Lyon-Matin*	3	Pourquoi regardent-ils les journaux ?
4 à la « une » de *Nice-Matin*	4	Qui est la mère Potiron ?

nice-m
"Chez la mère Potiron
le meilleur restaurant de notre
région et l'un des moins chers

Martine, Laurent et Bernard n'auront jamais autant mangé ! Mais, sans Xavier, ils n'auraient pas découvert « la Mère Potiron »...

PREMIÈRE PARTIE

A Cannes, à la terrasse d'un restaurant

M. Duray : Vous vous demandez pourquoi je suis venu de Lyon et pourquoi je vous ai invités à déjeuner ?

Bernard : En tout cas, c'est superbe ici !

Martine : Et c'est bien agréable !

M. Duray : En effet... J'ai décidé de mettre l'accent sur la gastronomie dans le journal. Nous sommes quelques-uns à penser que c'est un très bon sujet. C'est pourquoi je veux une grande enquête sur les restaurants de la Côte. Montrez bien le rapport qualité-prix, et nous donnerons les résultats de votre enquête dans *Lyon-Matin*.
Ah ! j'oubliais... pour votre enquête sur les restaurants de la côte d'Azur, de la discrétion, n'est-ce pas ?
Personne ne doit savoir qui vous êtes, c'est évident !

Dans un grand restaurant

Martine est attablée dans un restaurant chic. Elle a un gros chien à ses pieds. Un garçon s'approche.

Le garçon : Mademoiselle ?

Martine : *(au garçon)*
Alors... pour commencer, je voudrais une salade de tomates, du foie gras...

Le garçon : Pardon, une salade de tomates ou du foie gras ?

Martine : *(très digne)*
Mais les deux, voyons !
Ah ! Et je veux aussi du saumon fumé.
Ensuite, vous me donnerez du poisson... la sole meunière et le filet de Saint-Pierre à l'oseille.

Le garçon, abasourdi, prend note.

Le garçon : *(effaré)*
Les deux ?

Martine : *(très naturelle)*
Bien sûr, les deux !
Ah ! mettez-moi aussi une langouste grillée.
Oh ! attendez ! Ajoutez un gigot d'agneau aux haricots verts et une entrecôte, bleue.

Le garçon : Ce sera tout ?

Martine : Du fromage, bien entendu !
Pour les desserts, nous verrons plus tard !

Martine goûte à chaque plat, puis, très discrètement note sur un petit carnet ses appréciations.

Garçon ! La carte, s'il vous plaît.
Je voudrais choisir quelques desserts.

Le garçon : Eh bien vous, vous avez bon appétit !

ET MAINTENANT, À TABLE !

Dans un restaurant beaucoup plus modeste

Laurent est attablé, seul.
Un garçon, négligé et désinvolte, arrive, portant une assiette.

Le garçon : C'est pour vous, le poulet ?

Laurent : Oui.

Le garçon : Voilà.

Laurent goûte et fait une horrible grimace. Il prend discrètement une petite boite en plastique dans sa poche et y met un morceau de poulet.

Le garçon : ⟨Vous n'aimez pas ça ?

Laurent : Je... Je n'ai pas très faim.

Le garçon : *(toujours aussi désinvolte)* Vous voulez autre chose ?

Laurent : Non, rien ! Si, si... attendez, du fromage.

Le garçon : Quel fromage ?

Laurent : Du fromage blanc.

Le garçon : Et un fromage blanc !

Laurent : Garçon ! Garçon ! il y a des cheveux sur ce fromage !

Le garçon : Pardon, Monsieur ! Je ne suis pas tout à fait de votre avis.
Il n'y a pas des cheveux, il y a un cheveu !⟩

Dans un troisième restaurant...

Bernard entre et voit une jeune femme élégante, seule à une table. Il va vers elle.

Bernard : ⟨Vous êtes seule ? J'en étais sûr. Permettez-moi de vous inviter à dîner.

Bernard s'assied.

Samantha : Mais... Monsieur !

Bernard : Vous acceptez ! J'en étais sûr aussi ! Et j'avais deviné qu'on était fait pour se comprendre...

Bernard : Garçon, la carte s'il vous plaît !
(à Samantha) Voyons, qu'est-ce qui vous ferait plaisir ?⟩

Le garçon dépose un superbe plateau de fruits de mer devant Samantha.

Samantha : C'est délicieux !

Bernard prend une langoustine dans l'assiette de la jeune fille.

Bernard : Vous permettez ?
(Il goûte.) Vous avez raison, mais la mayonnaise pourrait être meilleure !

Bernard et Samantha en sont maintenant aux plats principaux. Samantha goûte.

Samantha : Pas mal !

Bernard : Vous permettez ?

Bernard goûte le canard de Samantha.

Bernard : Mieux que « pas mal » !

Samantha : *(à la fois agacée et amusée)* Vous mangez toujours dans l'assiette des autres ?

Bernard : C'est-à-dire, non... enfin, oui ! Je suis curieux de tout, j'aime goûter de chaque plat...

Ils finissent leur repas. Arrive le moment de l'addition...

Bernard : Merci. Mille cent francs ?

Le garçon : *(très digne)* Mais le service est compris, Monsieur.

Bernard : Ah ! Eh bien alors...

DEUXIÈME PARTIE

Au bureau

Martine : ⟨Bon, où en sommes-nous de l'enquête sur les restaurants de la Côte ? Chacun son tour... Laurent ?

Laurent : Moi, j'avais décidé d'essayer un petit restaurant qu'on m'avait recommandé. Pas possible ! Tenez, regardez... *(Il montre à Martine et Bernard la boîte en plastique.)* et ça sent mauvais !

Martine : Quelle horreur !

Laurent : On devrait demander une analyse à un laboratoire !

Bernard : Laisse tomber, va...

Martine : Et toi, Bernard ?

Bernard : Moi, j'ai trouvé un restaurant très intéressant, mais le prix... terrible !

Martine : *(très calme)*
Combien ?

Bernard : Mille cent francs !

Martine : Fais-moi voir l'addition ? Mais, vous étiez deux !

Bernard : *(gêné)*
C'est-à-dire... j'ai goûté un peu à tout... pour des raisons professionnelles... 〉

Bernard voit alors l'addition de Martine.

Bernard : Mais dis donc, Martine, ton addition n'est pas mal non plus ! Quatre hors-d'œuvre, deux viandes, deux poissons. Vous étiez combien, vous ?

Martine : Ça ne te regarde pas ! J'étais seule, si tu veux savoir, mais j'ai dû goûter à tous les plats, par conscience professionnelle !

Bernard : Comme moi !

Martine : *(pas très convaincue)*
Oui...

Xavier rentre dans le bureau.

Xavier : Alors, ça marche votre enquête sur les restaurants ?

Laurent : *(sombre)*
Pas terrible...

Xavier : 〈Vous connaissez *La mère Potiron* ? Ce n'est pas le plus grand, mais c'est le meilleur restaurant de la région. En tout cas pour moi. Si vous êtes libres, je vous y emmène ce soir.

Ils se regardent tous les trois.

Martine : D'accord.

Laurent : Parfait.

Bernard : *(Il toussote.)* Dis-moi, Martine, ça ne t'ennuie pas si j'invite mon assistante ce soir ?

Martine : Ta quoi ?

Bernard : Tu avais raison tout à l'heure. Nous étions deux au restaurant. La jeune femme avec laquelle j'ai dîné a un goût excellent... Et ses avis m'ont été très utiles. Je suis sûr qu'elle te plaira beaucoup.

Martine : Ça, ça m'étonnerait. 〉

Chez la mère Potiron

La voiture des trois amis s'arrête devant le restaurant de la mère Potiron. Martine et Laurent mettent leurs lunettes, Bernard essaie de recoller ses fausses moustaches.

Xavier : Ne vous fatiguez pas ! La mère Potiron, elle s'en moque complètement des journalistes...
...
Mes amis, je vous présente la mère Potiron, la meilleure cuisinière de toute la région.

La mère Potiron : Bon, assez de compliments, petit. Ce soir, j'ai préparé une bouillabaisse. Qu'est-ce que vous en dites ? Ah ! Parce que... il faut que je vous explique... Ici, c'est moi qui décide ce qu'on mange. Et il ne faut pas me contrarier ! *(Elle désigne Xavier.)* Le petit vous le dira, j'ai mauvais caractère !

Samantha : C'est charmant ici, ça me rappelle la maison de mes grands-parents. Vous m'excusez...

La jeune femme se lève.

Martine : *(imitant Samantha)*
Ah ! c'est charmant ici. Ça me rappelle la maison de mes grands-parents...
Tu parles !

Bernard : Martine, ne sois pas méchante !

Martine : Oh ! toi ! tais-toi.

ÉMISSION

20 ET MAINTENANT, À TABLE !

La mère Potiron revient avec une cruche et des verres. Elle sert à la ronde.

La mère Potiron : J'ai un petit vin de pays pour l'apéritif. Vous allez m'en dire des nouvelles... Voilà.

Xavier : Merci.

La mère Potiron : Voilà.

Samantha revient à table. Chacun prend son verre et trinque. Bernard veut trinquer avec la jeune femme. Il renverse son verre sur la robe blanche de Samantha.

Samantha : Ah !

Bernard : Ah ! Oh ! Je suis désolé !

Martine : *(perfide)* Mais le rouge sur du blanc, c'est très joli...

La mère Potiron : ⟨ Quand j'étais petite fille, il y a bien longtemps, ma grand-mère préparait déjà la bouillabaisse. C'est elle qui m'a donné la recette. D'abord, il y a les poissons. Regardez ces beaux rougets, ces rascasses... Ensuite l'ail, les différentes herbes. Mais ça, c'est mon secret... Allez, allez-y... la bonne cuisine il ne faut pas la faire attendre !

Laurent : Que c'est bon ! Et c'est plus sympathique qu'un restaurant trois étoiles !

Xavier : Et moins cher !

Martine : Excellent !

Bernard : *(la bouche pleine)* C'est...

Xavier : D'accord, tu nous diras plus tard !

La mère Potiron : Bon, bon. Assez de compliments. Mangez !

Martine : Je crois que cette fois, on le tient, notre restaurant numéro un ! ⟩

Au bureau

Bernard montre un numéro de* Nice-Matin *à Martine et Laurent. En première page, on peut lire ce titre :
« Chez la mère Potiron
Le meilleur restaurant de notre région et l'un des moins chers ! »

Bernard : *Nice-Matin* reprend notre enquête de *Lyon-Matin*, et elle est aussi dans *Le Dauphiné, La Dépêche*, et *Corse-Matin* ! C'est un succès formidable !

Devant le restaurant de la mère Potiron

Le petit parking est rempli de luxueuses voitures. Martine, Laurent et Xavier ont du mal à se garer. La mère Potiron les accueille.

La mère Potiron : ⟨ Ah ! Voilà les petits. Eh bien dites, vous m'avez fait un drôle de cadeau avec votre histoire de journal. Oui, avant, j'étais bien tranquille ! Maintenant les gens, je ne sais plus où les mettre. Mais pour vous, il y aura toujours de la place. Vous mangerez avec moi à la cuisine ! Ça ne vous dérange pas au moins ?

Laurent : Pas de problème !

La mère Potiron : *(à Bernard)* Et la petite jeune fille qui était avec vous, elle n'est pas revenue ?

Martine : Non, elle a eu peur pour sa robe ! N'est-ce pas, Bernard ? ⟩

Ils éclatent de rire.

La mère Potiron : Allez-y.

AVEZ-VOUS BIEN SUIVI L'HISTOIRE ?

1 Mettez les événements dans le bon ordre.

a. Martine, Bernard et Laurent comparent les résultats de leur enquête.
b. Xavier les emmène dîner chez la mère Potiron.
c. Martine découvre que Bernard n'était pas seul au restaurant.
d. Bernard goûte aux plats que prend Samantha.
e. M. Duray demande une grande enquête sur la gastronomie de la région.
f. Laurent choisit un très mauvais restaurant.
g. Le serveur s'étonne de tout ce que Martine commande.
h. Ils donnent le numéro un au restaurant de la mère Potiron.

2 Qui dit ces phrases ?

a. Vous mangez toujours dans l'assiette des autres ?
b. Pour les desserts, nous verrons plus tard !
c. Pardon, Monsieur ! Je ne suis pas tout à fait de votre avis.
d. Si vous êtes libres, je vous y emmène ce soir.
e. Ça ne t'ennuie pas si j'invite mon assistante ce soir ?
f. Ici, c'est moi qui décide ce qu'on mange.

3 Éliminez les phrases qui ne servent pas à commander des plats.

a. Vous me donnerez du poisson...
b. Vous allez m'en dire des nouvelles...
c. Garçon, la carte s'il vous plaît.
d. Qu'est-ce qui vous ferait plaisir ?
e. Le service est compris ?

4 Vrai ou faux ?

a. M. Duray recommande à ses trois journalistes d'être discrets.
b. Martine fait un repas très léger.
c. Laurent prend un échantillon des plats qu'on lui sert.
d. Bernard trouve que l'addition est raisonnable.
e. Martine admire tout de suite l'amie de Bernard.
f. Leurs articles font de la publicité pour la mère Potiron.

5 Qu'est-ce qu'ils disent ?

REPORTAGE

L'EAU À LA BOUCHE

Le chef cuisinier du restaurant *La Grand'Voile*

L'interviewer

Nous sommes dans les cuisines du restaurant *La Grand'Voile*. Monsieur Cappa, bonjour.

Le chef

Bonjour.

L'interviewer

Vous avez une belle cuisine !

Le chef

Ah ! c'est mon domaine, Monsieur. Voilà mes fourneaux, mes collègues...

L'interviewer

Il y a longtemps que vous êtes ici ?

Le chef

Quinze ans, Monsieur.

L'interviewer

Quinze ans !

Le chef

Ah ! ça vous étonne ? C'est qu'il y a longtemps que je suis dans le métier ! J'ai même débuté à quatorze ans, comme apprenti.

L'interviewer

Et pourquoi avez-vous choisi cette profession ?

Le chef

Parce que, Monsieur, de tout jeune, j'aimais déjà bien manger. C'est que, il faut aimer manger dans ce métier, sinon...

L'interviewer

Eh bien, dites-nous en quoi consiste votre travail.

Le chef

Eh bien, voilà. Le matin, j'arrive vers huit heures et demie. Je fais les menus du jour. Je commande la viande, les poissons, les légumes... Ensuite, on prépare tout ce qu'il faut pour faire la cuisine. On épluche les légumes, l'oignon, le persil, l'ail... La cuisine, ça vient après.

L'interviewer

Vous servez combien de couverts par jour ?

Le chef

En été, deux cents, Monsieur.

L'interviewer

Et vous n'êtes que trois pour faire tout ça ! Ça doit être dur !

Le chef

Eh oui ! c'est un métier pénible. Nous travaillons douze heures par jour, et souvent même le dimanche...

L'interviewer

Allons, il y a bien quelques satisfactions ?

Le chef

Ah oui ! c'est un beau métier. On est son propre patron, et puis on peut créer !

L'interviewer

Vous voulez dire créer de nouveaux plats ?

Le chef

Oh ! ça vient comme ça. J'y pense, et un jour j'ai envie d'essayer. Tenez, aujourd'hui par exemple, je voulais composer un plat de poisson, léger et frais pour l'été. Je voulais marier du saumon cru avec des coquilles Saint-Jacques. Oh, ce n'est pas tellement nouveau, mais j'y mets un petit condiment à ma façon. Vous voyez, j'ai mis quelques tranches de saumon, des coquilles Saint-Jacques coupées bien mince. J'y ajoute du citron jaune, du citron vert, un peu d'huile d'olive, d'olive surtout ! un peu de poivre, un peu de sel, un peu de coriandre et des condiments à ma façon... Vous verrez, c'est délicieux ! Nous goûterons tout à l'heure. Il faut servir bien frais avec du pain grillé.

L'interviewer

Et vos clients, qu'est-ce qu'ils en disent ?

Le chef

Mes clients, ils se régalent, ils viennent et ils reviennent...

- Le métier de cuisinier est-il un métier dur ? Pourquoi ?
- Quelles sont les caractéristiques de la cuisine régionale sur la côte d'Azur ? En quoi cette cuisine correspond-elle à la région ?

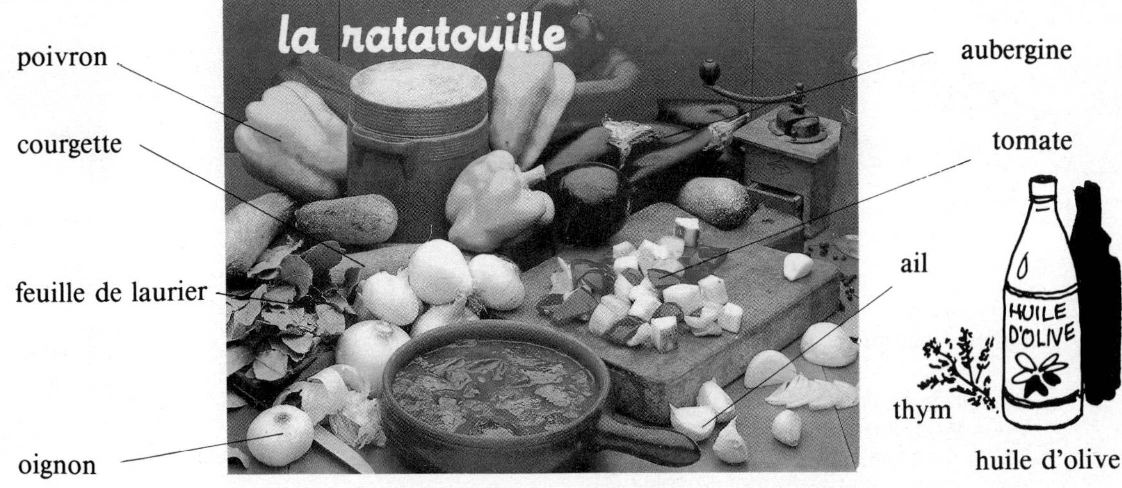

RECETTE DE LA RATATOUILLE NIÇOISE

- Pour 6 personnes, prenez :
  1 oignon, 6 tomates,
  2 aubergines, 2 poivrons verts,
  2 poivrons rouges, 5 courgettes,
  de l'huile d'olive, de l'ail, du thym et du laurier.
- Coupez les légumes en petits morceaux sans les éplucher.
- Pelez l'oignon.
  Faites revenir l'oignon dans l'huile d'olive.
- Ajoutez les courgettes et laissez dorer quelques minutes.
- Mettez-les sur un plat.
- Faites la même chose avec les aubergines puis les poivrons.
- Remettez tous les légumes dans la casserole.
- Ajoutez les tomates, l'ail et les herbes.
- Salez et poivrez.
- Couvrez et laissez cuire à feu doux pendant 35 minutes.
- Servez chaud ou froid.

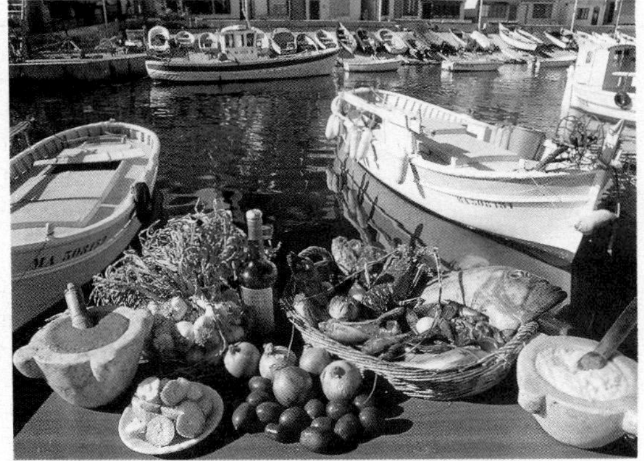

RECETTE DE LA BOUILLABAISSE

- Mettre 2 litres d'eau dans une casserole et faire chauffer.
- Ajouter du sel, du poivre, et des aromates : ail, thym, laurier, persil, fenouil, safran ainsi que 3 tomates et 2 oignons.
- Quand l'eau bout, mettre un peu d'huile d'olive et les poissons coupés en morceaux.
- Ajouter un verre de vin blanc.
- Laisser cuire 20 minutes.
- Préparer des croûtons de pain frottés avec de l'ail.
- Faire une mayonnaise et ajouter de l'ail *(aïoli).*
- Servir les croûtons et l'aïoli avec la bouillabaisse.

UNE VIEILLE COUTUME PROVENÇALE : LES 13 DESSERTS DE NOËL

Les quatre « mendiants » (figues, dattes, amandes, noisettes) ; le nougat blanc ; le nougat noir ; les truffes en chocolat ; les calissons ; les fondants ; les noix ; les papillottes ; les fruits confits ; la « pompe à l'huile » (gâteau brioché parfumé à l'anis).

En Provence

L'ail, l'huile d'olive et les aromates sont les ingrédients de base de la cuisine provençale.
Les poètes appellent l'ail « l'ami de l'homme », « le condiment divin ».
L'huile d'olive est utilisée dans presque tous les plats.

POUR COMPRENDRE ET POUR VOUS EXPRIMER

1 Inviter quelqu'un

Ce soir, je t'emmène dîner. (1)
Viens dîner avec moi ce soir. (2)
On va dîner ensemble ce soir? (3)
Vous voulez dîner avec moi ce soir? (4)
Permettez-moi de vous inviter à dîner. (5)
Est-ce que je peux me permettre de vous inviter à dîner? (6)
J'aurais grand plaisir à vous inviter à dîner. (7)
Accepteriez-vous une invitation à dîner? (8)

▶ Quelles phrases utiliseriez-vous pour inviter

a. un(e) très grand(e) ami(e)?
b. quelqu'un que vous connaissez mal?
c. quelqu'un que vous voyez pour la première fois?

Comment est-ce que celui qui invite donne à l'autre la possibilité de refuser?

2 Exprimer la quantité et la nature d'un produit

nature du produit **du, de la, de l'** *(on ne peut pas compter en unités)*	Martine mange du foie gras, du poisson, de la viande, de la salade, des desserts. Ce qu'il y a dans son assiette, c'est du gigot, ce n'est pas du poulet.
quantité **un, deux, trois** *(on peut compter)*	Le garçon commande un foie gras (une portion de foie gras), deux viandes, une salade. Il n'y a pas de poulet, pas de mayonnaise (quantité 0).
nature du produit **le, la, les** *(généralisation)*	Martine aime le foie gras, le poisson, la salade, les desserts.

▶ Martine passe sa commande au garçon. Que dit le garçon au cuisinier?

Ex. : Martine : «Je voudrais du saumon fumé.»
Le garçon : «Un saumon fumé.»

a. Apportez-moi du foie gras.
b. Donnez-moi de la salade de tomates.
c. Vous me donnerez du gigot.
d. Je voudrais du fromage.

▶ Dites ce qu'aime Martine.

Ex. : Martine aime beaucoup le saumon fumé...

3 Le plus-que-parfait

plus-que-parfait = auxiliaire «être» ou «avoir» à l'imparfait + participe passé

(Quand tu es venu), j'**étais sorti.**
j'**avais fini** de manger.

Le plus-que-parfait exprime qu'une action passée a eu lieu avant une autre action passée.

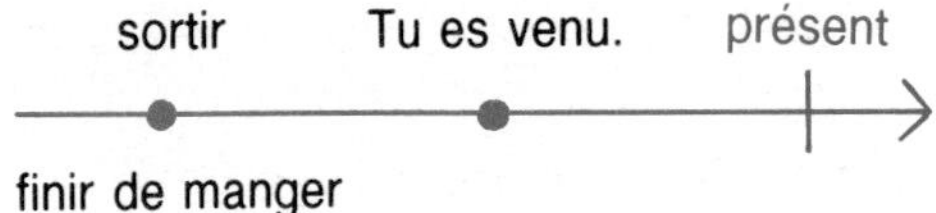

▶ Transformez les phrases suivantes.

Ex. : J'ai décidé d'essayer un petit restaurant. Tu m'as invité(e).
→ J'avais décidé d'essayer un petit restaurant quand tu m'as invité(e).

a. Tu es parti. Je suis arrivé.
b. J'ai téléphoné à mes amis. Tu m'as appelé(e).
c. J'ai accepté de dîner avec Martine. Tu m'as téléphoné.
d. Bernard a vu que Samantha était seule. Il l'a invitée.

4 Le genre des adjectifs

masculin	changements		féminin
	orthographe	prononciation	
libre, jeune	—	—	libre, jeune
vrai, bleu	+ e	—	vraie, bleue
naturel pareil principal	+ le + le + e	— — —	naturelle pareille principale
grand, vert mauvais	+ e	+ consonne	grande, verte mauvaise
délicieux	x → se	+ z	délicieuse
ancien, bon américain	+ ne + e	voyelle nasale → voyelle + n	ancienne, bonne américaine
inquiet léger	+ e	é fermé → ète, ère	inquiète légère

▶ Dites si l'adjectif est masculin ou féminin.

	M	F
Ex. : des haricots verts	×	
a. des voitures américaines		
b. de bons poissons		
c. des plats légers		
d. leur conscience professionnelle		

	M	F
e. de bonnes entrecôtes		
f. des langoustes délicieuses		
g. de mauvais fromages		
h. des repas complets		

• Comprendre les intonations et les mimiques

1 Vous allez entendre un personnage dire la même phrase trois fois, chaque fois avec une intonation différente. Quel sens donne l'intonation à ces phrases ? Mettez une croix dans la colonne qui traduit le mieux l'état d'esprit ou l'intention du personnage.

a. Samantha : « Hum... pas mal. »

réplique	1	2	3
jugement favorable			
critique polie			
indifférence			

b. Samantha : « Vous mangez toujours dans l'assiette des autres ? »

réplique	1	2	3
agacement			
simple question			
amusement			

c. Martine : « Fais-moi voir l'addition. »

réplique	1	2	3
sous-entendu, soupçon			
ordre			
prière			

2 Qu'expriment leurs visages ?

a. Sur la photo n° 1 page 89, M. Duray a l'air :
☐ inquiet ☐ sérieux ☐ découragé

b. Sur la photo n° 3, le garçon a l'air :
☐ intéressé ☐ ennuyé ☐ surpris

c. Sur la photo n° 5, la mère Potiron a l'air :
☐ souriant ☐ sympathique ☐ déprimé

d. Sur la photo n° 7, Bernard a l'air :
☐ intéressé ☐ de mauvaise humeur ☐ content

• Construire un texte

1 En vous servant du résumé en photos, page 89, de vos réponses à l'exercice 3 du Cahier d'exercices et du texte du feuilleton (pp. 79 à 82), écrivez un texte qui rend compte des événements de l'histoire ; n'oubliez pas de décrire l'état d'esprit des personnages.

2 Vérifiez que votre texte est cohérent. Pour cela, vérifiez
— que l'ordre chronologique est bien indiqué,
— que les indications de lieu sont assez précises,
— que les liens logiques sont bien marqués (voir exercice 4 page 76),
— qu'il n'y a pas de répétitions inutiles, et qu'il est facile de savoir à quels mots du texte renvoient les pronoms.

20

LE PREMIER QUOTIDIEN D'INFORMATIONS DU
hez la mère Potiro
meilleur restaurant de no
ion et l'un des moins ch
8964 TA 06

ÉMISSION 21

PRENEZ-EN SOIN !

OBJECTIFS

Découvrir

- **des lieux :** les rues et le port de Nice
- **des gens :** un commissaire de police, un commandant de bateau

Apprendre

- **à faire des objections**
- **à faire des reproches**
- **à nuancer des compliments**
- **à exprimer la cause**
- **à exprimer l'inquiétude et l'irritation**

et pour cela, utiliser

— *on*, pronom sujet
— *parce que / puisque*
— *dire que...* + verbe à l'indicatif
— *laisser* + verbe à l'infinitif

IMAGINEZ L'HISTOIRE...

les lieux	l'action	Posez-vous des questions.
1 dans la rue	1	Pourquoi enferme-t-on Bernard dans le coffre de la voiture de M. Duray ?
2 dans une autre rue	2	Quelles questions peut leur poser le policier ?
3 au commissariat	3	Pourquoi le commissaire interroge-t-il Martine et Laurent ?
4 sur le port	4	Un bateau part. Martine et Laurent se disputent. Pourquoi ?

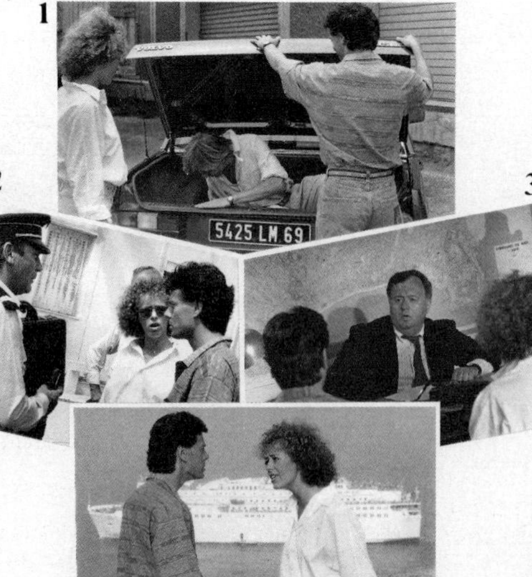

21

Les bons sujets d'enquête sont peut-être rares, mais M. Duray ne sait pas ce qu'il fait en confiant sa voiture à nos trois amis !

PREMIÈRE PARTIE

Au bureau de *Lyon-Matin*, à Nice

M. Duray : ⟨ Bon, j'ai décidé de venir passer vingt-quatre heures avec vous pour parler de nos projets. Je suis content de *Radio-Rivage* : les premiers résultats ne sont pas mauvais. Dans *Lyon-Matin*, vos grandes enquêtes plaisent beaucoup : les parfums à Grasse, la vie d'un village de Provence, pour prendre deux exemples, ont eu un certain succès. Est-ce que vous avez de nouveaux sujets ? ⟩

Martine montre des photos.

Martine : La pollution des plages ?

M. Duray : Déjà traité cent fois !

Martine : Le festival de feux d'artifice à Monte-Carlo.

M. Duray : C'est un sujet pour la télévision, pas pour nous !

Bernard montre lui aussi des photos.

Bernard : L'élection de *Miss* côte d'Azur !

M. Duray : Ça vaut une photo, pas une enquête !

Laurent lit un télex sorti du téléscripteur.

Laurent : *(Il lit.)*
⟨ De plus en plus de voitures sont volées sur la Riviera, surtout des voitures de luxe de marques allemandes et suédoises.
(à M. Duray) On dit que ces voitures volées sont directement envoyées à l'étranger.
On pourrait enquêter ?

M. Duray : Je trouve l'idée très intéressante.

Laurent : D'abord, il nous faut une très belle voiture pour attirer les voleurs. Ensuite, *(Il appelle.)* Xavier ! ⟩

Xavier entre.

Laurent : Tu peux me trouver des *talkies-walkies* ?

Xavier : Sans problème !

Laurent : Parfait !

M. Duray : D'accord, mais reste à trouver la voiture. Ça va coûter cher !

Bernard : Peut-être pas...

M. Duray : Pardon ?

Bernard : Non, rien, rien.

M. Duray : ⟨ Expliquez-vous !

Bernard : Eh bien ! il y a votre voiture...

M. Duray : Comment ça, ma voiture ?

Martine : Elle est belle !

Laurent : Elle est luxueuse !

M. Duray : Je vous trouve très gentils, mais... vous allez un peu loin ! Vous ne croyez pas ? ⟩

ÉMISSION 21 PRENEZ-EN SOIN !

Au parking de l'aéroport, à Nice

Martine : Au revoir, Monsieur.

M. Duray : J'espère que vous en prendrez soin !

Laurent : Soyez tranquille.

M. Duray : Je n'aime pas beaucoup cette histoire, enfin... au revoir. Faites bien attention.

Laurent : *(à voix basse aux deux autres)* Et maintenant, voilà ce que nous allons faire...

Un peu plus tard...

Martine : *(Elle énumère.)* Alors... couverture, boisson, biscuits, lampe de poche, un livre et le *talkie.* Et maintenant qui monte dans le coffre ?

Laurent : *(désignant Bernard)* Eh bien, toi !

Bernard : Et pourquoi moi ?

Laurent : Parce que... tu es le plus sportif !

Bernard : Oh non, non, pas question ! Non.

Martine : Bon, on va tirer au sort... *(à Laurent)* Toi ?

Laurent : Pile.

Martine : *(à Bernard)* Et toi ?

Bernard : ... Face.

Martine : C'est face !

Bernard : *(Il soupire.)* C'est encore moi la victime !

Laurent : De toute façon, nous sommes toujours en communication avec toi. Allez, bon courage...

Sur la promenade des Anglais

La voiture de monsieur Duray est maintenant garée non loin de l'hôtel Negresco. Un peu plus loin, dans la voiture de Laurent, Martine et Laurent surveillent.
Laurent a un* talkie-walkie *à la main...

Laurent : *(dans le* talkie*)* Allô ! tu m'entends ?

Bernard : Très bien !

Laurent : *(à Martine)* Ça y est, ça marche.

Le temps passe...

Laurent : *(dans le* talkie*)* Ça va ?

Bernard : Si tu as envie de prendre ma place, ne te gêne pas !

Laurent : 〈 J'ai faim !

Martine : Moi aussi, j'ai faim !

Laurent : Va chercher des sandwichs !

Martine : Pourquoi moi ?

Laurent : Parce que c'est moi qui conduis, et je suis prêt à repartir. Allez, dépêche-toi !

Martine : D'accord, à tout de suite.

Laurent : Pstt ! Sandwichs au jambon, avec du beurre !

Martine revient avec les sandwichs.

Laurent : Ah !

Martine : Tiens.

Laurent : Je t'avais dit jambon-beurre !

Martine : Je te signale qu'il n'y en avait plus.

Laurent : Oui, mais je déteste le pâté !

Martine : Eh bien, c'est agréable d'être ici avec toi !

Laurent : Si tu crois que ça m'amuse ! 〉

Bernard : *(dans le coffre, au* talkie*)* Dis donc, ça ne va pas très vite ! Il n'y a pas beaucoup de clients.

Laurent : Patience !

Bernard : Patience... patience... Aïe !

Un monsieur qui passe entend le cri qui vient du coffre. Il sort de son sac une bouteille et la jette.

Le monsieur : Elle a raison, Germaine... il faut que je m'arrête de boire ! Il faut que je m'arrête ! Il faut que je m'arrête !

DEUXIÈME PARTIE

Les heures passent, toujours rien !

Martine : Tu crois qu'on va passer la nuit ici ? *(Elle soupire.)* Une si belle voiture ! Ah, moi, je n'hésiterais pas !

Laurent : Eh bien, vas-y.
Elle est à toi.

Martine : *(Elle hausse les épaules.)*
Pfff !

Martine et Laurent s'endorment. Deux hommes montent dans la voiture de M. Duray et démarrent.

Bernard : Allô !

(voix off) Laurent, Martine, vous m'entendez ?
⟨ Allô ! Allô ! vous m'entendez...

Martine : *(se réveillant)*
Quoi ? *(à Laurent)* Mais réveille-toi, c'est Bernard !

Martine : Allô ! Bernard, tu m'entends ?

Bernard : Ah ! Tout de même ! Je commençais à m'inquiéter, je croyais que vous m'aviez laissé tomber !

Martine : *(mentant effrontément)*
Non non, non non, tout va bien...
On est juste derrière toi.
(à Laurent) Oh ! mais les voleurs ne peuvent pas être très loin, on doit les retrouver.
(dans le talkie) Allô ! Allô !
(à Laurent) Je ne reçois plus Bernard ! Mais allez vite, démarre... ⟩

Martine et Laurent roulent dans Nice à la recherche de la voiture volée...

Martine : Là... La voiture de Duray.

Laurent : Attends ! Ce ne sont pas les bons numéros.

Martine : Ce sont des professionnels : ils les ont changés.

Laurent : *(parlant au coffre)*
Ne t'inquiète pas, Bernard ! On va te sortir de là.
(à Martine) Les clés !

Martine : Eh bien quoi, les clés !

Laurent : Eh bien oui, les clés !

Martine : Je ne sais pas, moi !
C'est dommage d'abîmer une si jolie voiture !

Laurent : Ecoute, ce n'est pas le moment de donner ton avis sur les voitures.

Martine : Oh là là !

Une voiture de police arrive.

Laurent : *(apercevant les deux policiers)*
⟨ Ah ! vous tombez bien ! Vous allez pouvoir arrêter un gang de voleurs de voitures !

Le policier : *(d'un air entendu)*
C'est exactement pourquoi nous sommes venus !

Laurent : *(sentant venir le malentendu)*
Ah non, mais... mais pas du tout ! Mais ce n'est pas ce que vous croyez ! Nous sommes journalistes et notre ami est dans le coffre.

Le policier : Bien sûr !

Laurent : Il suffit de l'ouvrir !

Un homme élégant sort du restaurant.

L'homme : Avec la clé, ce serait peut-être... plus facile !

Le coffre est vide. Un policier en sort un petit attaché-case.

Le policier : Votre ami est sans doute caché à l'intérieur ! ⟩

Dans le bureau du commissaire

Le commissaire : Vous n'espérez pas que je vais croire votre histoire de fous. Une voiture volée, votre ami dans le coffre, et le *talkie-walkie*... Mais c'est un roman !
(très perplexe) D'accord, vous êtes journalistes, mais...

On entend la voix de Bernard dans le* talkie-walkie *sur le bureau du commissaire.

Allô ! Mais allô ! Mais où êtes-vous ? Allô ! Allô ! Vous m'entendez ? Allô ! Allô !

Martine : ⟨ Bernard... c'est Bernard, vous permettez ?
(dans le talkie*)* Allô ! Bernard ? Où es-tu ?

21 PRENEZ-EN SOIN !

Bernard : *(parlant dans son* talkie*)*
Aucune idée, mais je suis très secoué ! J'espère qu'on finira par m'ouvrir.

Laurent : Ne perdons pas le contact.

Martine : Ah, vite, monsieur le commissaire, aidez-nous ! On va le retrouver !

Le commissaire : Vous savez que, normalement, je ne dois pas vous laisser faire. Mais, puisque vous êtes journalistes... 〉

Dans les rues de Nice

Martine et Laurent sont maintenant, avec le commissaire, à bord d'une voiture de police qui patrouille dans les rues de Nice.

Martine : Allô ! Bernard... Si tu nous entends, réponds-nous ! Allô !

Bernard : *(dans le* talkie*)*
Allô ! Martine ? Ça y est, la voiture est arrêtée.
Mais... mais c'est... c'est curieux, ça... ça sent le mazout ! Et ça... ça bouge...
Oooh ! ça bouge...

Martine : Un bateau ! Il est sur un bateau !

Laurent : *(au commissaire)*
Vite, au port, on va voir ce qui se passe.

Ils voient le* car-ferry *s'éloigner vers la haute mer.

Martine : 〈 Eh bien, bravo !
C'est réussi ! Tout ça, c'est à cause de toi !

Laurent : Pourquoi moi ?

Martine : C'est toi qui a eu cette idée !

Le commissaire : Et ce n'était pas mieux d'en parler d'abord à la police ?

Martine : *(gênée)*
Oui, mais...

Le commissaire : Mais vous êtes journalistes, le reportage avant tout ! Vous êtes bien tous les mêmes !

Laurent : *(découragé)*
Et on ne peut rien faire ?

Le commissaire : Le bateau est parti pour la Corse. Il s'agit d'un gang très important. On ne les a pas encore arrêtés mais, croyez-moi, cette fois on les aura ! A Ajaccio !

Laurent : En attendant, la voiture...

Le commissaire : Eh, oui... que voulez-vous, vous avez pris des risques ! 〉

Laurent : Qu'est-ce qu'on va faire ?

Martine : *(énervée)*
D'abord téléphoner à Duray qu'il n'a plus de voiture !

Laurent : *(gêné)*
Justement, Martine, j'ai pensé... enfin, je pense que tu pourrais le faire !

Martine : Et pourquoi moi ? Après tout, cette enquête, ce n'était pas mon idée !

Le commissaire : *(Il raccroche le téléphone.)*
D'accord... Je viens de parler au commandant du bateau. Votre ami est maintenant sorti du coffre de la voiture et les voleurs sont arrêtés !

Martine : Merci, Monsieur.

Laurent : Merci.

Le commissaire : Et la prochaine fois, laissez la police s'occuper des voleurs de voitures !

Martine : *(gênée)*
D'accord.

Laurent : Allons chercher ma voiture.

Martine et Laurent reviennent à l'endroit où ils ont garé leur voiture.

Laurent : 〈 Ma voiture ! Elle était là, j'en suis sûr ! Ma voiture !

Martine : Volée ! Alors la voiture de Duray en Corse et la voiture de Laurent volée... Ah ! non ! Mais c'est trop pour une journée !

Martine : *(très découragée)*
Bon, bien, il ne reste plus qu'à faire du stop pour rentrer au bureau... 〉

AVEZ-VOUS BIEN SUIVI L'HISTOIRE ?

1 Mettez les événements dans le bon ordre.

a. Martine et Laurent sont interrogés par le commissaire.
b. Les voleurs montent sur le *car-ferry* avec Bernard dans le coffre.
c. Martine et Laurent essaient d'ouvrir le coffre d'une voiture.
d. Martine et Laurent attendent qu'on vole la voiture.
e. Bernard s'enferme dans le coffre de la voiture.
f. Les voleurs sont arrêtés à bord du bateau.
g. M. Duray accepte qu'on utilise sa voiture pour attirer les voleurs.
h. Martine et Laurent découvrent que la voiture de M. Duray n'est plus à sa place.

2 Qui dit ces phrases ?

a. ... Vous allez un peu loin ! Vous ne croyez pas ?
b. Je te signale qu'il n'y en avait plus.
c. Si tu as envie de prendre ma place, ne te gêne pas !
d. ... Je croyais que vous m'aviez laissé tomber !
e. Votre ami est sans doute caché à l'intérieur !
f. ... Mais, croyez-moi, cette fois, on les aura !

3 Éliminez les phrases qui n'expriment pas un rejet ou un refus.

a. Ça vaut une photo, pas une enquête !
b. Pas question !
c. C'est encore moi la victime !
d. Vous savez que, normalement, je ne dois pas vous laisser faire.
e. Et pourquoi moi ? Après tout, cette enquête, ce n'était pas mon idée !

4 Vrai ou faux ?

a. C'est Laurent qui propose de se servir de la voiture de M. Duray.
b. Laurent est satisfait de son sandwich au pâté.
c. Quand les voleurs démarrent, Bernard est très inquiet.
d. Martine et Laurent se sont endormis et n'ont pas vu les voleurs.
e. Les policiers ne croient pas ce que leur disent Martine et Laurent.
f. Le commissaire fait des reproches aux journalistes.

5 Qu'est-ce qu'ils disent ?

DESTINATION CORSE

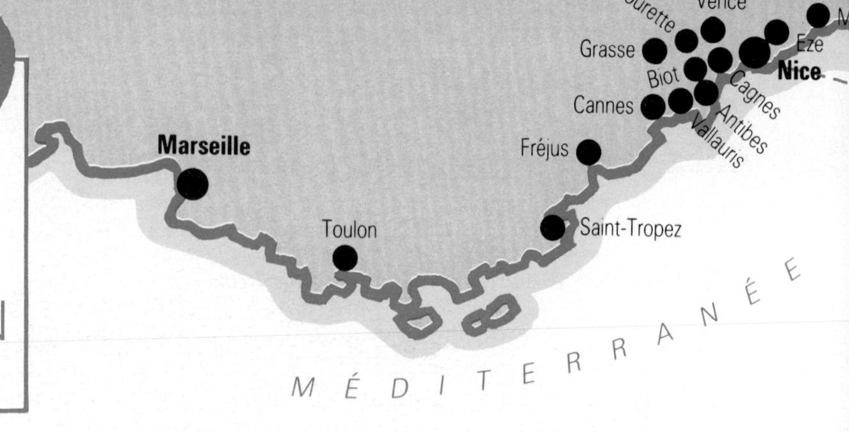

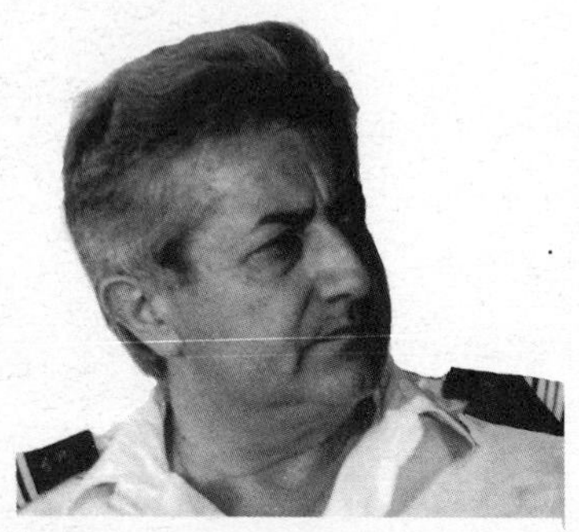

Le commandant du bateau *Le Corse*

L'interviewer

Nous sommes sur le port de Nice, et voici *Le Corse,* un des deux *car-ferries* qui assurent la liaison entre Nice et la Corse.
C'est un paquebot très moderne de cent quarante-cinq mètres de long. Il peut transporter deux mille trois cents passagers et sept cents voitures à une vitesse de vingt-deux nœuds, c'est-à-dire quarante kilomètres-heure.
Bonjour, Commandant.

Le commandant

Bonjour.

L'interviewer

Il y a longtemps que vous naviguez sur la ligne Nice-Corse ?

Le commandant

Ça fait dix ans.

L'interviewer

En quoi consiste votre métier ?

Le commandant

J'ai la responsabilité du bateau, et je dois assurer la sécurité de tous ceux qui sont à bord. Et, bien entendu, je dirige les manœuvres.
Je vais donner l'ordre de mise en marche des machines, je vais faire larguer les amarres, effectuer les manœuvres et sortir par la passe.

L'interviewer

Vous n'avez pas de remorqueur ?

Le commandant

Pas besoin. *Le Corse* peut sortir du port par ses propres moyens. Il a des propulseurs à l'avant, pour l'éloigner du quai.

L'interviewer

Et combien de temps prend la manœuvre ?

Le commandant

Environ cinq minutes.

L'interviewer

Et combien dure la traversée ?

Le commandant

Pour aller à Calvi, environ cinq heures.
Il y a quatre-vingt-dix-huit milles c'est-à-dire cent quatre-vingts kilomètres. C'est la traversée la plus courte. Pour aller à Ajaccio, il faut compter six heures et demie. Il y a deux cent cinquante kilomètres.

L'interviewer

Combien de traversées faites-vous par jour ?

Le commandant

Ça, ça dépend des saisons. En hiver, il n'y a que trois services par semaine. Au printemps et en automne, cinq à six. Mais alors en été, en période de pointe, c'est-à-dire du quinze juin au quinze septembre, nous assurons plus de quatre-vingts pour cent du trafic annuel en douze semaines. Nous faisons trois aller-retour par jour, avec deux bateaux, *Le Corse* et *L'Esterel.* Et nous devons travailler vingt-quatre heures sur vingt-quatre !

L'interviewer

Vingt-quatre heures sur vingt-quatre... les bateaux, pas vous ?

- Quel est le rôle d'un commandant de bateau ?
- Pourquoi le trafic entre Nice et la Corse est-il beaucoup plus important en été ?
- Repérez sur la carte le trajet des traversées du *Corse* pendant les périodes de pointe.

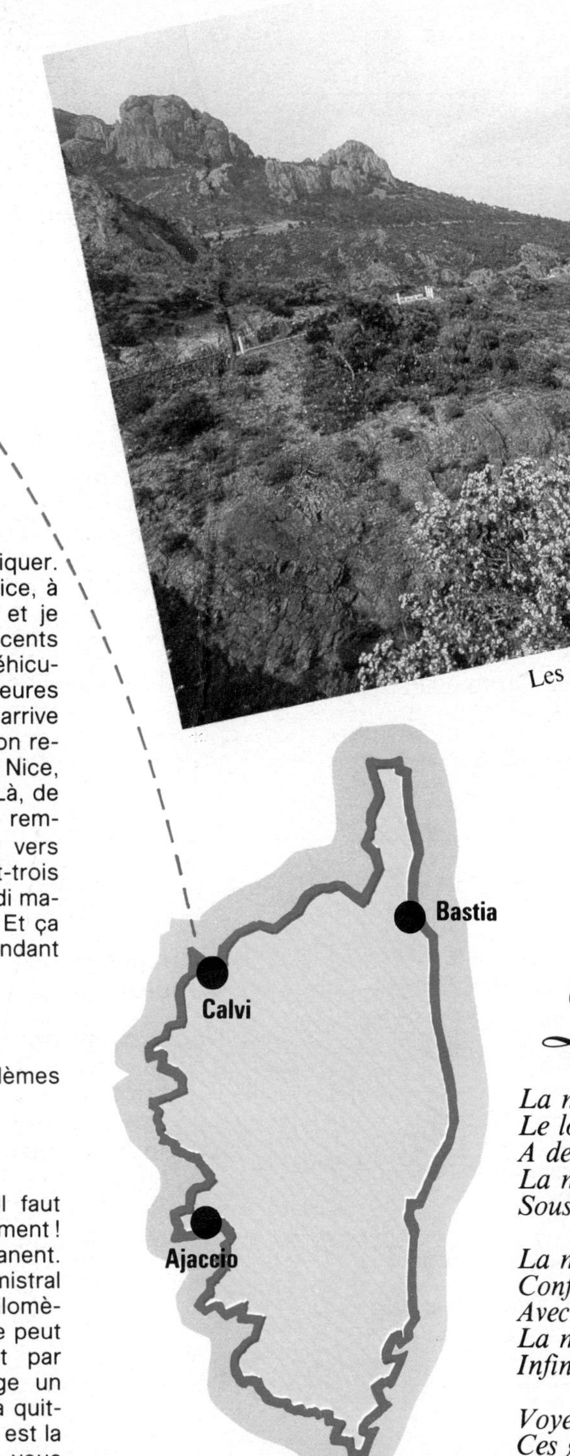

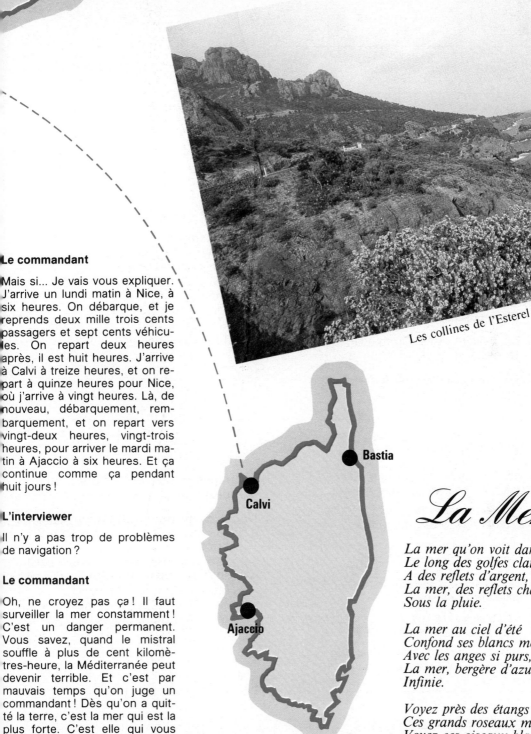

Les collines de l'Esterel

Le commandant

Mais si... Je vais vous expliquer. J'arrive un lundi matin à Nice, à six heures. On débarque, et je reprends deux mille trois cents passagers et sept cents véhicules. On repart deux heures après, il est huit heures. J'arrive à Calvi à treize heures, et on repart à quinze heures pour Nice, où j'arrive à vingt heures. Là, de nouveau, débarquement, rembarquement, et on repart vers vingt-deux heures, vingt-trois heures, pour arriver le mardi matin à Ajaccio à six heures. Et ça continue comme ça pendant huit jours !

L'interviewer

Il n'y a pas trop de problèmes de navigation ?

Le commandant

Oh, ne croyez pas ça ! Il faut surveiller la mer constamment ! C'est un danger permanent. Vous savez, quand le mistral souffle à plus de cent kilomètres-heure, la Méditerranée peut devenir terrible. Et c'est par mauvais temps qu'on juge un commandant ! Dès qu'on a quitté la terre, c'est la mer qui est la plus forte. C'est elle qui vous impose sa loi !

Située à près de deux cents kilomètres au sud-est de Nice, la Corse, appelée aussi l'Ile-de-Beauté, est une montagne qui sort de la mer.
La côte corse offre plus de baies et de plages que toute la côte méditerranéenne du continent français.
L'île compte moins de 200 000 habitants, mais la beauté de ses sites attire de plus en plus de touristes.

La Mer

La mer qu'on voit danser
Le long des golfes clairs
A des reflets d'argent,
La mer, des reflets changeants
Sous la pluie.

La mer au ciel d'été
Confond ses blancs moutons
Avec les anges si purs,
La mer, bergère d'azur
Infinie.

Voyez près des étangs
Ces grands roseaux mouillés.
Voyez ces oiseaux blancs
Et ces maisons rouillées.
La mer les a bercées
Le long des golfes clairs.
Et d'une chanson d'amour,
La mer a bercé mon cœur
Pour la vie.

Chanson de Charles Trenet, 1946

POUR COMPRENDRE ET POUR VOUS EXPRIMER

1 « on », pronom sujet

« On » peut représenter toutes les personnes.

Écoutons Bernard :

1. Alors, Laurent, on n'aime pas le poisson ? (on = tu)
2. On a volé la voiture. (on = quelqu'un, il)
3. Hé, Laurent, viens ! On va à Grasse. (on = nous)
4. On n'aime pas mes photos. (on = les gens, ils)

▶ Qui est « on » dans ces phrases ?

a. On dit que les voitures volées sont envoyées à l'étranger.
b. On pourrait enquêter.
c. On ne les a pas encore arrêtés, mais...
d. On va tirer au sort.
e. On doit retrouver les voleurs.
f. Et on ne peut rien faire ?

2 Exprimer la cause

- Nous avons besoin de votre aide parce que nous poursuivons des voleurs.

  (Le commissaire apprend que Martine et Laurent poursuivent des voleurs.)

  parce que : la raison donnée n'est pas connue de celui à qui on parle

- Je vais vous aider puisque vous poursuivez des voleurs.

  (Le commissaire sait déjà que Martine et Laurent poursuivent des voleurs.)

  puisque : la raison donnée est déjà connue de celui à qui on parle

▶ Complétez avec « parce que » ou « puisque ».

a. ... il fait beau, nous allons sortir.
b. Je viens te voir ... j'ai besoin de ton aide.
c. Je vous laisse faire ... vous insistez.
d. Je monte dans le coffre ... j'ai perdu (au jeu du pile ou face).
e. Tu vas chercher les sandwichs ... c'est moi qui conduis.

3 « dire que »...

Après : dire, déclarer, affirmer, croire, penser, espérer, il (me) semble, il est clair, il est évident... que..., le verbe est à l'indicatif.

Je dis que ça **vaut** une photo, pas une enquête.
M. Duray pense que c'**est** un bon sujet pour un reportage.

▶ Que dit M. Duray dans cette émission ?

Ex. : Il dit que la pollution des plages est un mauvais sujet pour un reportage.

4 Faire des reproches

On peut faire un reproche en rappelant ce qu'on a déjà dit ou demandé, et qui n'a pas été suivi d'effet.

Je t'avais dit que je voulais du jambon! (Mais tu l'as déjà oublié!)
Je vous ai demandé d'en prendre soin! (Mais vous ne l'avez pas fait!)

On peut utiliser : Je | te / vous répète que..., je | t' / vous ai écrit que..., je | t' / vous ai répondu que...

▶ Martine s'énerve et fait des reproches à Laurent : que va-t-elle lui dire?

Ex. : Ne pas s'endormir. → Je te répète de ne pas t'endormir.

a. Garder le contact avec Bernard.
b. Ne pas en parler à la police.
c. L'idée n'est pas bonne.
d. Prendre des risques.

5 Laisser faire...

Laissez la police **s'occuper** des voleurs de voitures!
(la police = *sujet* ; des voleurs = *COI*)

Si l'infinitif n'a pas de complément d'objet, le sujet se met avant ou après le verbe à l'infinif.

Laurent et Martine **ont laissé partir** les voleurs.
ou Laurent et Martine **ont laissé** les voleurs **partir.**

▶ Qu'est-ce que Laurent et Martine ont laissé faire?

Ex. : Bernard / dans le coffre.
→ Laurent et Martine ont laissé Bernard se mettre dans le coffre.

a. deux hommes / la voiture
b. les deux hommes / dans Nice
c. le bateau / vers la Corse

6 Atténuer des compliments

Quand on veut atténuer un compliment, on peut employer :

1. l'adjectif contraire précédé d'une négation
   Les premiers résultats **ne** sont **pas mauvais**. (bon = pas mauvais)
2. un certain + nom
   Vos enquêtes ont eu **un certain succès**.
3. assez + adjectif
   Vos reportages sont **assez réussis**.
   (assez < très)

▶ Complétez ces phrases en atténuant le compliment.

a. Je trouve cette idée ... intéressante.
b. Vos idées ont ... originalité.
c. Cette proposition ... mauvaise.
d. Vos articles sont ... bonne qualité.

• Comprendre les intonations et les mimiques

1 Vous allez entendre des phrases exprimant le reproche (R), le découragement (D), ou l'inquiétude (I). Mettez une croix dans la colonne correspondante.

	R	D	I
Ex. : «Je t'avais dit jambon-beurre!»	X		
a. Si tu crois que ça m'amuse!			
b. Allô! Allô! Vous m'entendez...			
c. Je ne sais pas, moi!			
d. Mais où êtes-vous?			
e. J'espère qu'on finira par m'ouvrir. .			
f. Tout ça, c'est à cause de toi!			
g. Vous êtes bien tous les mêmes! ...			
h. Et on ne peut rien faire?			

2 Qu'expriment leurs visages?
Vous pouvez cocher plus d'une case.

a. Sur la photo n° 1 page 101, M. Duray a l'air :
☐ sérieux ☐ attentif ☐ ennuyé

b. Sur la photo n° 2, M. Duray a l'air :
☐ pensif ☐ ironique ☐ surpris

c. Sur la photo n° 7, le policier a l'air :
☐ souriant ☐ ironique ☐ inquiet

d. Sur la photo n° 9, Martine a l'air :
☐ encourageant ☐ furieux ☐ agressif

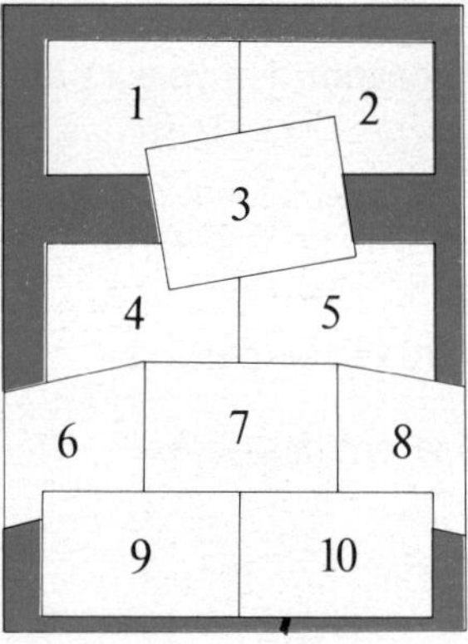

• Construire un texte

1 Observez bien les photos n°s 2, 6, 7, 8 et 9 de la page 101, et dites ce que pensent ou ressentent les personnages.
Ex. : (photo n° 2) M. Duray doit penser que ses jeunes collaborateurs vont un peu loin! Il réfléchit à leur proposition, mais il n'a pas envie de leur prêter sa voiture... Bernard, lui, doit se demander si...

2 En suivant les conseils de la page 88, écrivez un compte rendu des événements de cet épisode; n'oubliez pas de décrire l'état d'esprit des personnages.

3 On vous demande de présenter cet épisode en dix lignes dans un journal qui donne les programmes de télévision.
a. Vous ne voulez pas raconter l'histoire à l'avance. Qu'allez-vous écrire?
b. Vous faites un court commentaire qui donnera aux lecteurs l'envie de regarder l'épisode.

21

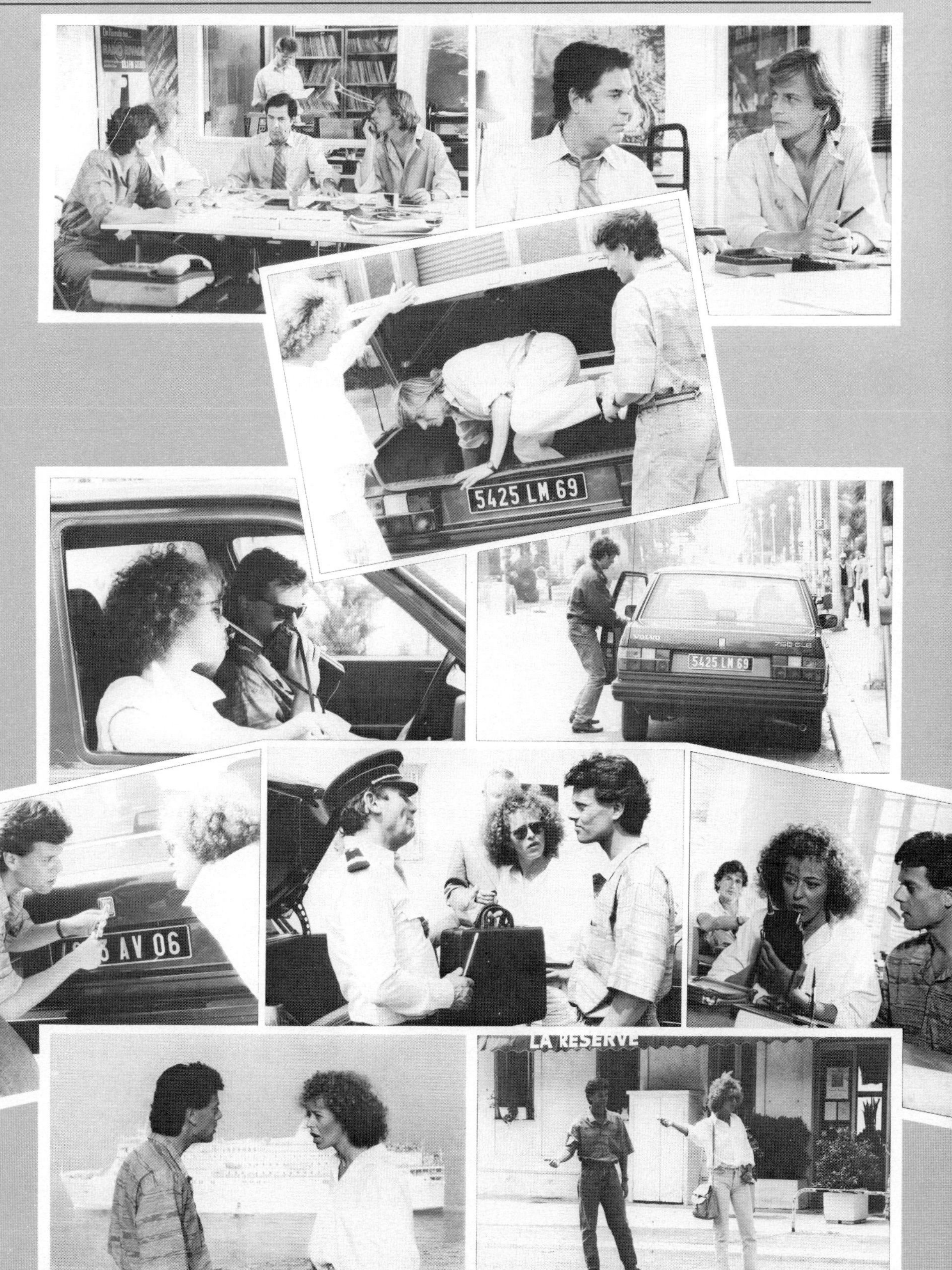

ÉMISSION **22**

DEUX BUTS À ZÉRO !

OBJECTIFS

Découvrir

- **des lieux :** un stade, le bureau d'un proviseur de lycée
- **des gens :** un proviseur, des lycéens, des sportifs, un entraîneur de club sportif

Apprendre

- **à exprimer la condition et l'hypothèse**
- **à faire des menaces et des promesses**
- **à affirmer et à justifier ses affirmations**
- **à féliciter**
- **à exprimer l'enthousiasme et l'irritation**

et pour cela, utiliser

— *si* + présent, imparfait ou plus-que-parfait

— *sans* + nom

— *C'est / Il est*

— *C'est ... qui / C'est ... que*

IMAGINEZ L'HISTOIRE...

les lieux	l'action	Posez-vous des questions.
1 dans les tribunes du stade	1	Que font Martine et Jean-Pierre avec leur micro ?
2 au lycée de Jean-Pierre	2	Pourquoi le proviseur du lycée n'est-il pas content ?
3 au cocktail	3	Est-ce un cocktail en l'honneur de Jean-Pierre ?

Une femme pour commenter un match de football à la radio, ça ne s'est jamais vu ! Si, à Radio-Rivage...

PREMIÈRE PARTIE

Martine (voix off) : Chaque matin, nous avions l'habitude, Laurent, Bernard et moi, de prendre notre petit déjeuner dans un café fréquenté par de nombreux élèves du lycée voisin.

Au café

Jean-Pierre : Bellone joue dix fois mieux que Rocheteau !

2e garçon : Ce n'est pas la même chose. On ne peut pas comparer !

3e garçon : Pour moi, c'est Platini le meilleur, un point c'est tout !

Laurent : Mes amis, grande nouvelle ! La police a retrouvé la voiture.

Martine : Formidable !

Laurent : Alors, au travail !

Bernard : Minute ! Le temps de prendre un café !

Laurent : Bon, d'accord.

Dans le bureau du proviseur d'un lycée

Le proviseur : ⟨ Ecoutez, Jean-Pierre, je vais être très clair : si vous êtes encore absent une seule fois pendant le trimestre, je vous renvoie du lycée. Je suis inquiet pour vous ! Le football, le baby-foot, ce n'est pas tout dans la vie. Pour passer le baccalauréat, il faut aussi faire des mathématiques, et du français. Compris ?

Jean-Pierre : Oui, Monsieur. ⟩

Dans le bureau de monsieur Duray, à Lyon

Monsieur Duray est au téléphone.

M. Duray : ⟨ Allô ! Ah ! mes enfants ! J'ai une grande nouvelle : j'ai l'autorisation de la Fédération de football.
Radio-Rivage fera, en direct, le reportage du match Nice-Toulouse.
Mettez-vous au travail ! ⟩

Dans le bureau des trois amis

Martine : ⟨ Très bien, Monsieur. Au revoir...
(à Bernard et Laurent)
Ordre de Duray, nous ferons le reportage du match de Nice, vendredi prochain.

Laurent : Mais qui va le faire ? Moi, le football, je n'y connais rien !

Bernard : Ah ! non, non, non !
Moi, je suis photographe, pas reporter sportif !

Martine : *(souriante)*
Mais, où est le problème ? C'est moi qui ferai ce reportage !

Laurent : Quoi ? Toi ? Une femme pour un match de football, c'est nouveau, ça !

Martine : Et pourquoi pas ? ⟩

ÉMISSION **22** ***DEUX BUTS À ZÉRO !***

Sur un terrain de sport

Martine (voix off) : J'avais un plan. Mais, pour cela, il fallait que je retrouve un des habitués du petit café, Jean-Pierre.

Martine appelle Jean-Pierre qui s'approche d'elle.

Martine : Bonjour.

Jean-Pierre : Bonjour.

Martine : ⟨ Jean-Pierre, j'ai une proposition à te faire. Voilà : nous faisons le reportage du prochain match Nice-Toulouse sur *Radio-Rivage*. Et c'est moi qui dois faire les commentaires.

Jean-Pierre : Toi ! Une femme pour le foot !

Martine : Oh ! Toi aussi ! Vous êtes bien tous les mêmes ! Écoute, si tu viens avec moi, tu pourras m'aider à faire le reportage et tu verras le match aux meilleures places, dans la tribune des journalistes.

Jean-Pierre : Ça m'intéresse mais... je ne sais pas si je peux accepter.

Martine : Pourquoi ?

Jean-Pierre : A cause du proviseur ! S'il écoute, il va encore dire que je m'occupe de football et pas de mathématiques !

Martine : Bon. Voilà ce que je te propose : si tu viens avec moi, moi, je vais parler à ton proviseur. ⟩

Au stade de l'O.G.C. Nice

C'est le soir de la rencontre. Dans la tribune de presse, Martine, micro en main, est avec Jean-Pierre.

Martine : ⟨ Ici Martine Doucet, *Radio-Rivage*, bonsoir. Nous allons vivre ensemble le match Nice-Toulouse.
Vous êtes sans doute surpris... Eh oui, c'est une femme qui fait ce reportage, mais je suis aidée par Jean-Pierre. Jean-Pierre, quinze ans, capitaine de l'équipe junior du lycée Masséna. Alors, Jean-Pierre, présente-nous les équipes. ⟩

Jean-Pierre : *(au micro)*
D'accord... tu sais, Martine, ce soir c'est un match exceptionnel. Si Nice gagne, notre équipe sera qualifiée pour la coupe de France. Crois-moi, il va y avoir de l'ambiance pendant ces quatre-vingt-dix minutes ! Ah ! les joueurs rentrent sur le terrain.
Alors, pour Nice, dans les buts, Amitrano, dossard numéro deux, Curbelo, dossard numéro cinq, le capitaine Morales, le neuf. Pour Toulouse, c'est Bergeroo qui sera dans les buts. Le capitaine, c'est Domergue. Il y a aussi Stopyra, l'avant de pointe, le meilleur buteur de cette équipe. Et c'est le coup d'envoi !
Après quelques minutes de jeu, le score est toujours zéro à zéro.
Toulouse bénéficie d'une touche et c'est Passi qui fait la remise en jeu... pour Bernard qui passe au centre à Stopyra. Trois joueurs niçois entourent le Toulousain qui ne peut pas armer son tir...
Amitrano prend la balle sans difficulté et relance à la main sur sa gauche.

Martine : Oh ! Toulouse vient d'intercepter le ballon !

Jean-Pierre : Exact, Martine, une bonne passe de Bernard à Marcico... Marcico déborde la défense niçoise... Il centre ! Mais il n'y a personne à la réception et Amitrano récupère facilement ce ballon. Nouvelle passe... Morales reçoit la balle... Il tire en pleine course... magnifique tir au but de vingt mètres ! Tir imparable ! But !

Martine : Oui, c'était un très beau tir de Morales. C'est du très très beau football. En ce moment, l'O.G.C. Nice est en train de se qualifier ! Les supporters niçois sont enthousiastes !

DEUXIÈME PARTIE

Jean-Pierre : Et le match est reparti maintenant. Toulouse est en position d'attaque et fait le *forcing* pour égaliser... Belle interception de Nice... L'attaque niçoise est relancée... Un magnifique *dribble* de Lefebvre qui dépasse deux défenseurs toulousains... Plusieurs joueurs niçois touchent la balle... C'est Morales qui tire : magnifique ! But !

Martine : Ce tir était impossible à arrêter... Bravo ! Nous sommes heureux que *Radio-Rivage* puisse vous faire vivre aujourd'hui des moments aussi exaltants !

Jean-Pierre : Et l'arbitre vient de donner le coup de sifflet final. Deux buts à zéro. Nice est qualifié ! C'est un triomphe que tous les supporters attendaient ! C'est la joie dans les tribunes... Jusqu'au dernier moment, l'O.G.C. Nice a montré son courage et son efficacité des grands jours.

Martine : Nous avons assisté à un match superbe et nous espérons que nos amis de *Radio-Rivage* partagent notre enthousiasme et notre joie ! Merci à Jean-Pierre pour sa collaboration. C'était Martine Doucet en direct du stade de Nice.

A la terrasse d'un grand restaurant

M. Duray : ⟨ Je suis venu fêter, avec vous, cette grande victoire de Nice. Et aussi... et aussi pour féliciter la première femme reporter de football. J'ai toujours su qu'on pouvait faire entière confiance à Martine Doucet.
Ma chère Martine, grâce à vous...

Martine : Oh ! grâce à moi...

M. Duray : Si si, j'insiste, grâce à vous *Radio-Rivage* est devenue la station radio du football sur la côte d'Azur... Et je suis heureux d'être le patron de la première femme reporter sportive, spécialisée dans le football !

Martine : Mais... je tiens à remercier mon camarade Jean-Pierre. Sans lui, je n'aurais jamais pu faire ce reportage. C'est certain ! ⟩

Le capitaine : Mes joueurs et moi avons une surprise pour Jean-Pierre.
Nous le faisons membre d'honneur de l'équipe de Nice.

Martine : Bravo, Jean-Pierre.

Le capitaine : Voilà, Jean-Pierre, le maillot que tu peux porter maintenant.

Jean-Pierre : *(très ému)*
C'est que... je ne sais pas quoi dire...

Le capitaine : Eh bien, ne dis rien ! Entre sportifs, on se comprend sans parler !

Martine : Tu es content ?

Jean-Pierre : Oh ! oui.

Dans le bureau du proviseur du lycée

Le proviseur est en colère.

Le proviseur : ⟨ Match de football... reportages sur *Radio-Rivage*... membre d'honneur de l'équipe de football de Nice... photo en première page de *Nice-Matin*... Bravo ! Et ce devoir de mathématiques, deux sur vingt !
Je dois applaudir aussi ? Et ne parlons pas du français ! Monsieur Jean-Pierre n'a rien fait... Monsieur n'avait pas le temps... Le football, bien entendu !

ÉMISSION

22 DEUX BUTS À ZÉRO !

Martine : Ecoutez, monsieur le Proviseur, je sais que vous avez tout à fait raison. Mais... donnez-lui encore une chance. Nous allons avec mes amis journalistes, Laurent Nicot et Bernard Travers, le faire travailler. Bernard l'aidera pour les mathématiques, Laurent pour l'anglais et l'allemand, et moi pour le français. Je suis certaine qu'il va faire des progrès.

Le proviseur appuie sur un interphone.

Le proviseur : Faites entrer l'élève Louvet Jean-Pierre. Jean-Pierre, j'étais décidé à vous renvoyer de ce lycée, mais mademoiselle Doucet a su me convaincre.
Je veux bien fermer les yeux pour les matchs de football et les reportages sur *Radio-Rivage* mais, si vous ne travaillez pas mieux avant la fin de l'année, vous ne faites plus partie du lycée. C'est bien clair ?⟩

Jean-Pierre : *(avec une petite voix)*
Oui, monsieur le Proviseur.
Merci, monsieur le Proviseur.

Dans le bureau des trois amis

Bernard et Laurent sont plongés dans des livres.

Martine : *(aux garçons)*
⟨ Bonjour. Qu'est-ce que vous faites ?

Bernard : Je travaille mes maths. Depuis que nous aidons Jean-Pierre, j'ai dû m'y remettre !

Laurent : C'est comme moi avec les verbes irréguliers anglais et les déclinaisons allemandes. *(à Martine)* Et toi, qu'est-ce que tu fais ?

Martine : Moi ? Mais je fais le reportage du match Nice-Bordeaux avec Jean-Pierre ! Salut !

Bernard : Et nous, nous restons ici à faire les devoirs de Jean-Pierre ?

Martine : Exactement !⟩

Au stade de l'O.G.C. Nice

Martine : Aucun but n'a encore été marqué. Malgré une nette domination, Nice ne parvient pas à tromper Dropsy, le gardien bordelais. Les deux équipes se cherchent... Un match nul à l'extérieur suffirait aux Bordelais.

Jean-Pierre : La défense niçoise prend son temps. Le ballon est dans le rond central. Et voilà une longue passe à l'avant de Curbelo, le capitaine niçois. Rico est à la réception. Il s'empare du ballon, déborde la défense adverse... et il tire... un tir imparable malgré l'angle réduit ! But !

22

AVEZ-VOUS BIEN SUIVI L'HISTOIRE ?

1 Mettez les événements dans le bon ordre.

a. Bernard et Laurent font les devoirs de Jean-Pierre.
b. M. Duray annonce que *Radio-Rivage* a l'autorisation de faire le reportage du match.
c. Le proviseur fait des reproches à Jean-Pierre.
d. Jean-Pierre et ses camarades jouent au baby-foot.
e. Le capitaine de l'équipe remet un maillot à Jean-Pierre.
f. Martine et Jean-Pierre font le reportage du match.
g. Martine demande à Jean-Pierre de l'aider à faire le reportage.
h. M. Duray félicite Martine et Jean-Pierre.

2 Qui dit ces phrases ?

a. Ah, mes enfants ! J'ai une grande nouvelle...
b. Moi je suis photographe, pas reporter sportif !
c. Toi ? Une femme pour un match de football, c'est nouveau, ça !
d. Jean-Pierre, j'ai une proposition à te faire.
e. Voilà, Jean-Pierre, le maillot que tu peux porter maintenant.
f. Mlle Doucet a su me convaincre.

3 Éliminez les phrases qui n'expriment pas la surprise.

a. C'est moi qui ferai ce reportage.
b. Toi ! Une femme pour un match de football !
c. Vous êtes sans doute surpris...
d. Je... je... je ne sais pas quoi dire...
e. Et ce devoir de mathématiques, deux sur vingt, je dois applaudir aussi !

4 Vrai ou faux ?

a. Au café, Jean-Pierre regarde ses camarades jouer au baby-foot.
b. Jean-Pierre veut quitter le lycée, mais le proviseur ne veut pas.
c. Martine veut faire le reportage du match seule.
d. L'équipe de Nice gagne par deux buts à zéro.
e. Le proviseur n'a pas entendu parler du reportage.
f. Bernard fait des maths et Laurent de l'anglais pour aider Jean-Pierre.

5 Qu'est-ce qu'ils disent ?

DROIT
AU BUT...

Nice bat Bordeaux 1–0 !

C'est par un très beau temps que les deux équipes ont joué hier soir au stade du Ray de l'O.G.C. Nice.
Nice a présenté une équipe, bonne techniquement et tactiquement, qui a dominé le match. Malgré tous ses efforts, l'excellente équipe de Bordeaux n'a pu éviter la défaite.
A Bordeaux, Tigana et Girard ont été les meilleurs. A Nice, Blanc et Cabréra, l'auteur du but, se sont montrés excellents.

L'entraîneur
de l'O.G.C. Nice

L'interviewer

Vous êtes entraîneur de l'Olympique gymnase club de Nice, l'O.G.C. Nice. Quel est le rôle de l'entraîneur d'un grand club comme le vôtre ?

L'entraîneur

C'est d'animer le club, de s'occuper de toutes les sections, jeunes et professionnels, environ quatre cents joueurs. Mais, j'ai surtout la responsabilité de l'équipe professionnelle qui joue dans le championnat de première division.

L'interviewer

Un joueur de football, ça travaille beaucoup ?

L'entraîneur

On travaille tous les jours ! Vous voulez savoir comment on prépare un match de football ?
Alors, voilà : le lundi matin, de neuf heures et demie à onze heures, nous avons une séance en plein air, gymnastique et *footing*, pour développer l'endurance des joueurs.
Le lundi après-midi, pendant une heure et demie, nous travaillons la technique du jeu : les joueurs répètent leurs déplacements sur le terrain, le *pressing* à faire ensemble, enfin, tous les mouvements collectifs.
Le mardi matin, alors là... c'est la séance la plus dure. On travaille la vitesse, la détente et la résistance. Et, je vous le garantis, ça fait mal aux muscles ! C'est pourquoi, le mardi après-midi, nous avons une séance d'assouplissement. On étire les muscles, on leur donne de la souplesse. Ça permet d'éviter les ennuis musculaires pendant le match.
Ensuite, le mercredi matin, nous travaillons sur le terrain, dans les conditions réelles de jeu : tirs au but, passes, jeu de tête... enfin, de la technique individuelle. Bon. Bien sûr le mercredi après-midi, repos. Là, les joueurs récupèrent.
Le jeudi matin, on leur donne les soins. Le médecin les examine, on les masse...
Le jeudi après-midi, on étudie la tactique à adopter pour le match du lendemain. Puis, on va sur le terrain et... on s'entraîne encore un peu.
Le vendredi matin, jour du match, j'essaie de motiver un peu les joueurs, de donner encore plus de tonus à l'équipe... et puis, et puis on joue le vendredi soir ! Voilà.

L'interviewer

Comment réagissez-vous pendant un match ?

L'entraîneur

Bien, moi, je suis toujours très tendu. Chaque match est une remise en question. J'observe mes joueurs. Est-ce qu'ils appliquent bien la tactique qu'on a préparée ?

L'interviewer

Et vous intervenez ?

L'entraîneur

Pas sur le terrain pendant le match. Mais, à la mi-temps, oui. Je dis par exemple à un de mes joueurs : « Bouge davantage. Attaque le ballon. » J'essaie d'expliquer brièvement les forces et les faiblesses. Mais enfin... ça dépend du cours du jeu... du match.

L'interviewer

Et... le résultat d'un match, ce n'est pas un peu un coup de chance ?

L'entraîneur

Vous savez, il n'y a pas de hasard, même au football. Pour gagner, il faut respecter les consignes de jeu, enfin, il faut beaucoup transpirer !

- Les joueurs de l'O.G.C. Nice sont-ils des sportifs amateurs ou professionnels ?

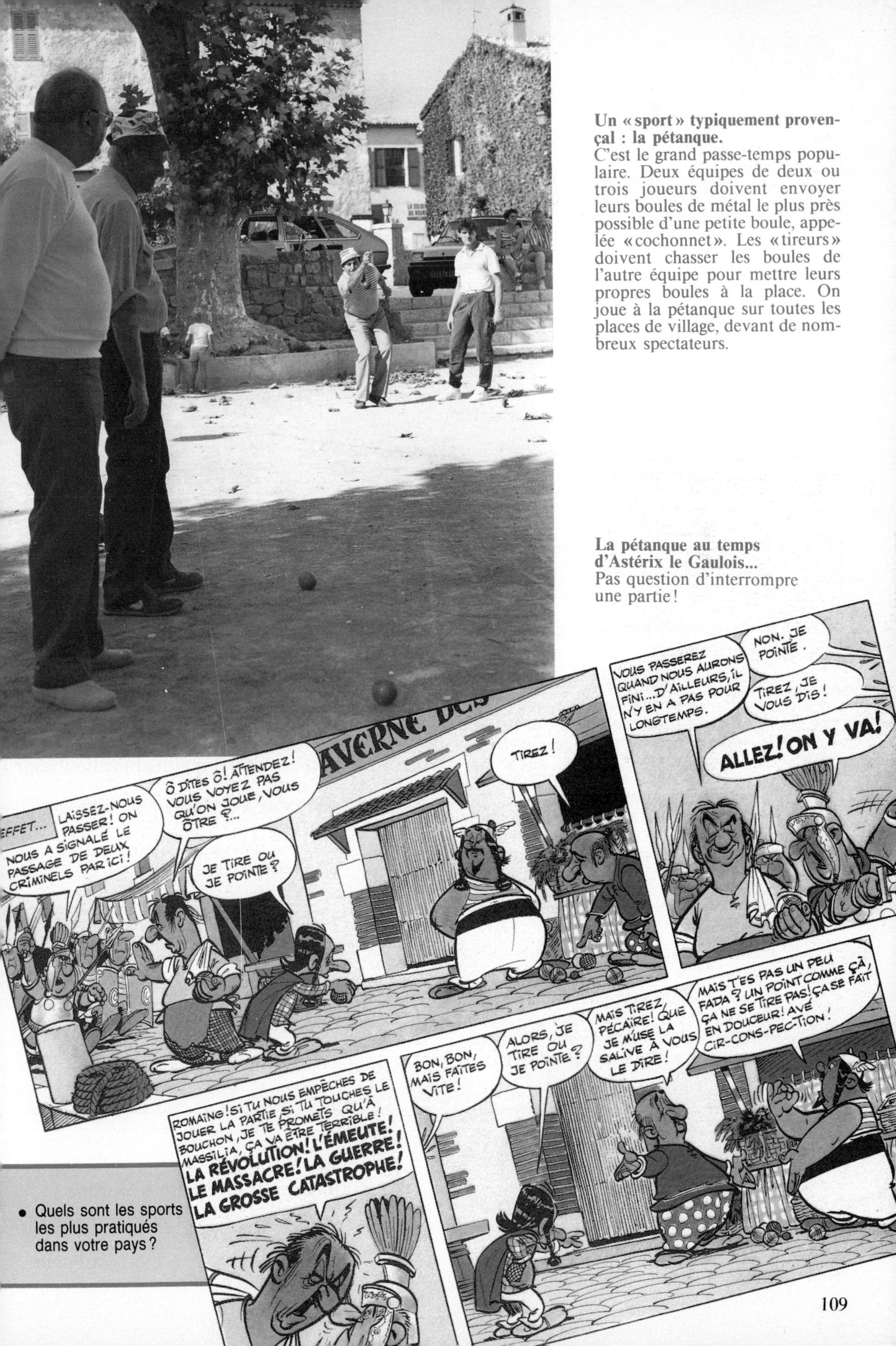

Un « sport » typiquement provençal : la pétanque.
C'est le grand passe-temps populaire. Deux équipes de deux ou trois joueurs doivent envoyer leurs boules de métal le plus près possible d'une petite boule, appelée « cochonnet ». Les « tireurs » doivent chasser les boules de l'autre équipe pour mettre leurs propres boules à la place. On joue à la pétanque sur toutes les places de village, devant de nombreux spectateurs.

La pétanque au temps d'Astérix le Gaulois...
Pas question d'interrompre une partie !

- Quels sont les sports les plus pratiqués dans votre pays ?

ÉMISSION **22**

POUR COMPRENDRE ET POUR VOUS EXPRIMER

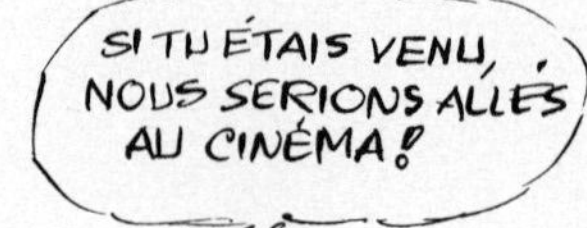

1 Exprimer la condition

A. Si tu viens, nous irons au cinéma.
présent *futur*

B. Si tu venais (mais ce n'est pas certain),
imparfait
nous irions au cinéma.
conditionnel présent

C. Si tu étais venu (mais tu n'es pas venu),
plus-que-parfait
nous serions allés au cinéma.
conditionnel passé

▶ Faites des hypothèses sur l'avenir de Jean-Pierre.

Ex. : S'il travaille, il aura son bac (c'est certain).
S'il travaillait, il aurait son bac (mais je peux en douter).

a. continuer à jouer au foot
b. commenter des matchs
c. travailler avec Martine
d. terminer ses études
e. devenir joueur professionnel

▶ Faites des hypothèses sur ce qui ne s'est pas passé.

Ex. : Si Jean-Pierre n'avait pas aidé Martine, elle n'aurait pas pu faire ses reportages.

a. autorisation de la Fédération / *Radio-Rivage,* la radio du football
b. intervention de Martine / Jean-Pierre au lycée
c. victoire de Nice / qualification pour la coupe
d. confiance de Duray / réussite de Martine
e. aide de Bernard et Laurent / renvoi de Jean-Pierre

2 « sans » + nom

Si Jean-Pierre n'avait pas aidé Martine, elle n'aurait pas pu faire les reportages.
→ **Sans** l'aide de Jean-Pierre, Martine n'aurait pas pu faire les reportages.

▶ Refaites le deuxième exercice du paragraphe 1 en utilisant « sans » + nom.

3 Faire des menaces ou des promesses

Si tu ne travailles pas, tu seras renvoyé.
menace ou promesse directe

Si tu m'aidais, je parlerais à ton proviseur.
menace ou promesse atténuée

▶ Quelles promesses, ou quelles menaces, Jean-Pierre peut-il faire à Martine ?

Ex. : Si vous parlez à mon proviseur, je vous aiderai.
Si vous parliez à mon proviseur, je vous aiderais.

4 «Il est» / «C'est»

Il est	+ nom de profession sans article	Il est photographe.
	+ adjectif	Il est gentil.
	+ adverbe de lieu	Il est ici, dans la chambre.
	+ adverbe de temps	Il est tard.

⚠ «Il est» peut aussi être utilisé pour donner l'heure.
Il est six heures.

Dans tous les autres cas, employez «c'est» suivi d'un :

• pronom	C'est lui. C'est celui qui est venu. C'est ce qui m'inquiète.
• nom propre	C'est Jean.
• article + nom	C'est une journaliste. C'est un Anglais. C'est le photographe.
• adverbe de temps	C'est aujourd'hui. C'était hier.
• adverbe de quantité	C'est assez.
• adverbe de lieu	C'est ici.
• adjectif	Le sport, c'est excellent pour la santé.

▶ Complétez ce texte sur Martine.

Martine est journaliste. ... la première femme reporter de football. ... ici, à Nice, qu'elle a fait son premier reportage. ... Jean-Pierre qui l'a aidée. Mais Jean-Pierre risque d'être renvoyé du lycée : ... ce qui l'inquiète. ... était trois heures quand le match a commencé. ... Nice qui a marqué le premier but. ... hier!

5 L'accord du verbe dans la proposition relative

C'est **toi** qui **fais** les reportages.

C'est **nous** qui **faisons** les devoirs de Jean-Pierre.

▶ Accordez les verbes dans les phrases suivantes.

a. C'est toi, Jean-Pierre, qui ... Martine. (aider)
b. Ce sont eux qui ... les devoirs de Jean-Pierre. (faire)
c. C'est M. Duray qui ... Martine. (féliciter)
d. C'est vous qui ... jouer à Nice. (aller)
e. Ce sont les Niçois qui ... gagné le match. (avoir)

• Comprendre les intonations et les mimiques

1 Vous allez entendre un personnage dire la même phrase trois fois, chaque fois avec une intonation différente. Quel sens donne l'intonation à la phrase? Mettez chaque fois une croix dans la colonne correspondant à l'état d'esprit ou à l'intention que vous pensez reconnaître.

a. Laurent : « La police a retrouvé la voiture. »

réplique	1	2	3
simple constatation			
regret			
grande satisfaction			

b. Le proviseur : « Le football, le baby-foot, ce n'est pas tout dans la vie. »

réplique	1	2	3
reproche			
plaisanterie			
simple constatation			

c. Martine : « Nous avons assisté à un match superbe ! »

réplique	1	2	3
indifférence			
surprise			
enthousiasme			

d. Bernard : « Et nous, nous restons ici à faire les devoirs de Jean-Pierre ? »

réplique	1	2	3
satisfaction			
moquerie			
protestation			

2 Qu'expriment leurs visages ?

a. Sur la photo nº 1 page 113, Martine a l'air :
☐ joyeux ☐ agressif ☐ inquiet

b. Sur la photo nº 4, le proviseur a l'air :
☐ fâché ☐ ennuyé ☐ souriant

c. Sur la photo nº 7, Jean-Pierre a l'air :
☐ mécontent ☐ tendu ☐ attentif

d. Sur la photo nº 10, Martine a l'air :
☐ satisfait ☐ moqueur ☐ désolé

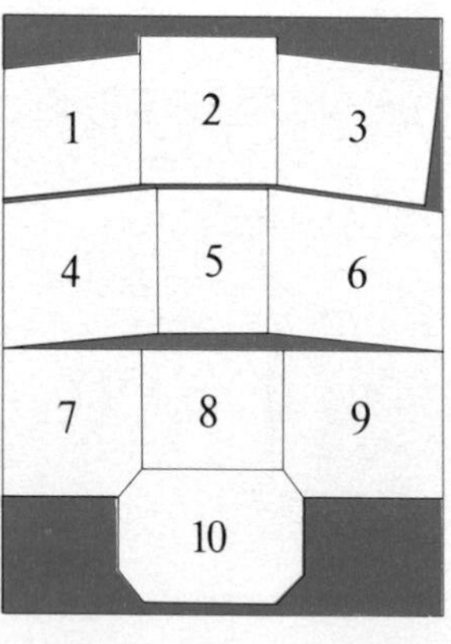

3 Qu'expriment les attitudes ?

Décrivez et comparez l'attitude de Jean-Pierre sur les photos nºs 4 et 6. A quoi correspondent chacune d'elles ?

• Construire un texte

En vous aidant des conseils donnés aux épisodes précédents (voir pages 76, 88, 100, etc.), écrivez un résumé de l'épisode 22 destiné à quelqu'un qui n'a jamais entendu parler d'*Avec Plaisir* (votre résumé ne doit pas dépasser vingt lignes).

22

ÉMISSION **23**

TOUS À CHEVAL !

OBJECTIFS

Découvrir

- **des lieux** : une grande exploitation agricole, la Camargue
- **des gens** : un manadier et des gardians

Apprendre

- **à exprimer des doutes ou des regrets**
- **à donner des excuses**
- **à faire des suppositions**
- **à exprimer la surprise et l'admiration**
- **à demander à quelqu'un des nouvelles de sa santé**

et pour cela, utiliser

— le discours indirect et la concordance des temps
— *devoir* (pour exprimer la probabilité)
— le subjonctif après les verbes de supposition
— le conditionnel passé pour exprimer un regret
— des formes irrégulières du subjonctif et de l'impératif

IMAGINEZ L'HISTOIRE...

les lieux	l'action	Posez-vous des questions.
1 dans l'appartement de Laurent et Bernard	1 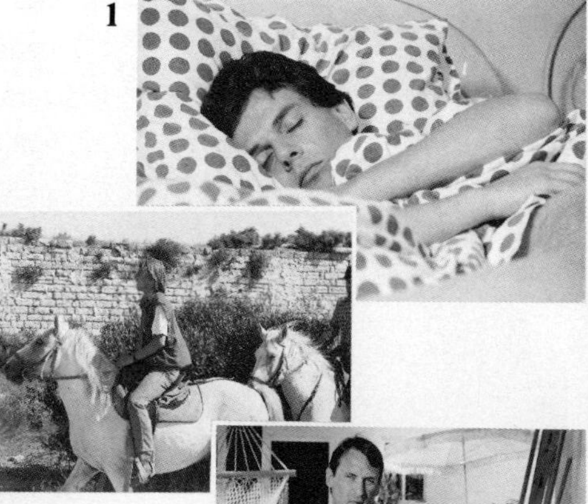	Qu'est-ce qui arrive à Laurent?
2 en Camargue	2	Martine et Bernard sont-ils en promenade?
3 dans la propriété de Denys de la Canardière	3	Bernard a-t-il besoin d'un docteur? Que lui est-il arrivé?

M. Duray veut faire plaisir à ses jeunes collaborateurs en les invitant à passer un week-end en Camargue, chez un de ses amis.
Mais est-ce que Laurent pourra y aller ?

PREMIÈRE PARTIE

Au téléphone

Monsieur Duray (à Lyon) téléphone à Martine (à Nice).

M. Duray : ⟨Allô ! Martine ?

Martine : C'est elle-même...

M. Duray : Ici, Duray.

Martine : Ah, bonjour Monsieur.

M. Duray : Que faites-vous pendant le week-end ?

Martine : C'est-à-dire... je ne sais pas très bien.

M. Duray : Parfait. Alors, vous venez avec moi en Camargue. Je suis invité chez mon ami Denys de la Canardière qui élève des chevaux et des taureaux. Laurent et Bernard viennent avec vous, bien entendu. Vous verrez, la Camargue est une formidable réserve d'oiseaux ; vous pourrez faire un reportage très intéressant.
D'accord ?

Martine : Bien. Bien, Monsieur. ⟩

ÉMISSION

23 TOUS À CHEVAL !

Le lendemain matin, dans l'appartement de Bernard et Laurent

Bernard : Qu'est-ce que tu fais ? Tu n'es pas prêt ? On va être en retard. Week-end obligatoire en Camargue !
... Ordres du commandant Duray ! Allez, dépêche-toi !

Laurent : *(voix rauque et faible)*
Je ne me sens pas bien du tout ! C'est sans doute la grippe ; je ne peux pas me lever.

Bernard : Tu es sérieux ?

Laurent : Très sérieux. Ça ne va pas bien du tout. Je regrette beaucoup : ce week-end en Camargue, ça aurait été formidable... c'est dommage, mais vraiment, c'est impossible.

Bernard : Tu veux que j'appelle un médecin ?

Laurent : Non, pas pour le moment, tu es gentil. Je vais dormir, ça me fera du bien.

Bernard : Bon, comme tu veux. On te téléphonera de là-bas. Au revoir.

Bernard sort. Laurent a alors un grand sourire.

Dans la voiture de Bernard

Martine : C'est quand même curieux cette grippe de Laurent d'un seul coup.
Tu crois vraiment qu'il est malade ?

Bernard : *(moqueur)*
C'est sans doute parce qu'il est rentré tard cette nuit, il a dû attraper froid !

Martine : Il n'avait peut-être pas très envie de passer le week-end avec Duray !

Une grande propriété en Camargue

Monsieur Duray est déjà là et accueille Martine et Bernard avec le propriétaire, monsieur Denys de la Canardière.

Denys de la Canardière : Denys de la Canardière... bienvenue en Camargue !

Martine : Martine Doucet, bonjour !

Bernard : Bonjour. Bernard Travers.

Denys : Bonjour.

Martine : Bonjour.

M. Duray : *(étonné)*
Et Laurent n'est pas avec vous ?

Martine : Non... il est désolé, mais il est malade.

M. Duray : Ah bon ! C'est dommage pour lui.

Denys : Il doit faire chaud sur la route. Vous devez avoir soif. Venez prendre un verre.

Bernard : Avec plaisir.

Denys : Ma femme.

Ils vont s'asseoir et Denys de la Canardière leur sert à boire.

Bernard : Merci.

Denys : Si vous voulez vous reposer, vous avez le choix entre le hamac et les chaises longues. Ou encore, on peut faire une petite partie de pétanque.

Martine : Ah, je préfère la pétanque !

Bernard : Moi aussi.

Denys : Eh bien d'accord. Et demain matin, nous nous lèverons de bonne heure pour visiter la Camargue à cheval.
Vous venez avec nous, mon cher Henri ?

Il se tourne vers monsieur Duray.

M. Duray : Non, merci, mon cher Denys, mais... je connais bien votre domaine.
Et j'ai apporté un peu de travail à faire pendant le week-end.

Denys : Très bien. Nous partirons vers sept heures. Vous montez à cheval, bien entendu ?

Martine : Ça va, je me débrouille.

Bernard : *(se vantant)*
Pour moi, pas de problème !

DEUXIÈME PARTIE

Le lendemain, devant la propriété

Le cheval de Bernard est nerveux et bouge sans arrêt.

Bernard : *(Il parle au cheval.)*
Oui, oh là, calme, doucement, oh là oui, oui, oui...

Denys : Ça va, monsieur ?

Bernard : *(s'efforçant d'être naturel)*
Ça va... ça va... ça va... ça va...

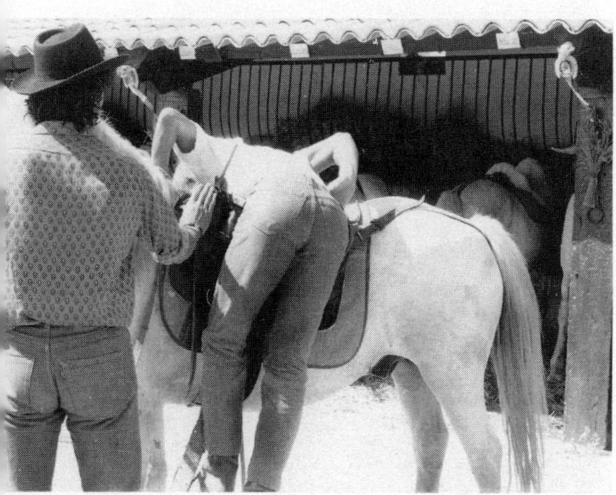

Monsieur Duray est venu dire au revoir à ses amis.

Denys : *(à Duray)*
Alors, vous ne venez pas ?

M. Duray : *(hypocrite)*
Non... Vous savez, le... travail...

Monsieur Duray se dirige vers un hamac et... se recouche.
Denys de la Canardière et ses invités font une promenade à cheval.

Martine (voix off) : Le lendemain matin, de bonne heure, nous sommes partis pour une longue randonnée en Camargue. Moins bons cavaliers que Denys de la Canardière, nous avions, Bernard et moi, quelques difficultés avec nos chevaux. Mais notre récompense fut de découvrir la Camargue, ses champs de riz, ses vignes... ses chevaux... ses taureaux et ses admirables paysages.

Denys : *(à Martine)*
Vous avez vu les principales richesses de la Camargue : les taureaux, les chevaux, la vigne, le riz... et les oiseaux. Nous sommes la plus grande réserve d'oiseaux d'Europe.
Regardez, Mademoiselle, dans cette direction, vous verrez des flamants roses. Il y en a beaucoup en Camargue. Et, heureusement, ils sont protégés.

Martine : Ah ! Comme c'est beau ! Je n'en avais jamais vu autant. Regarde !

Elle passe les jumelles à Bernard.

Bernard : ... Magnifique ! Vraiment magnifique. Tiens, je vais faire des photos.
... Doucement, doucement. Voilà. Je fais une photo. Gentil, calme, calme le cheval. Voilà, doucement, je fais une photo, j'en fais encore une. Là... très bien... très bien... Doucement, j'ai dit... J'ai dit... J'ai dit doucement ! Eh ! Mais... mais ça ne va pas... Oh !... Mais il est fou ce cheval ! Pas si... mais pas si vite ! Arrête ! Au secours !... Au secours... aah...

Rien ne peut arrêter le cheval de Bernard et Bernard finit à plat ventre dans la boue !

Un grand déjeuner réunit autour de Denys : sa femme, monsieur Duray, Martine, Bernard et des gardians.

ÉMISSION

23

TOUS À CHEVAL !

M. Duray : *(à Bernard)*
⟨ Mon ami Denys m'a dit que vous étiez un... excellent cavalier !

Bernard : Non, mais... mais c'est... c'est à cause de la selle ! Oui... j'ai appris à monter en Amérique, et les selles ne sont pas les mêmes.

Un jeune gardian : Ce n'est pas au cirque Barnum que vous avez appris à monter à cheval ?
Non, je disais ça pour rire ! Ne soyez pas fâché ! ⟩

Martine : *(à Denys)*
Vous me... vous me permettez de téléphoner ?

Denys : Je vous en prie.

Au téléphone.

Martine : ⟨ Allô ! Laurent ? C'est Martine. Laurent ?
Tu sais, on regrette que tu ne sois pas avec nous. ⟩

Martine revient à table.

Martine : Ça va ?

Bernard : Pas terrible.

Denys : Montrez-moi votre poignet.

Bernard : Ah !

Denys : Mais... ça enfle ! Il faut appeler le médecin.

Le médecin examine Bernard.

Le médecin : Ah, rien de bien grave ! Une simple entorse. Je vais simplement vous mettre un bandage, mais il faudra être prudent pendant quelque temps.

Martine : *(Elle se tourne vers Denys.)*
⟨ Je pense que je vais ramener Bernard à Nice, ce soir.
Veuillez nous excuser, Monsieur.

Denys : Mais je comprends très bien.

M. Duray : *(à Bernard)*
Ça va Bernard ? Vous n'avez pas trop mal ?

Bernard : Non, non, ça va, Monsieur. Merci. Ce n'est pas très agréable mais... c'est comme ça...

M. Duray : Moi aussi, à votre âge, j'ai fait des bêtises mais... vous voyez, je suis toujours là ! ⟩

Martine et Bernard partent pour Nice.

M. Duray : A bientôt.

AVEZ-VOUS BIEN SUIVI L'HISTOIRE

1 Mettez les événements dans le bon ordre.

a. Nos amis prennent un repas avec les gardians.
b. Martine prend des nouvelles de Laurent par téléphone.
c. Un docteur soigne l'entorse de Bernard.
d. Pendant la promenade à cheval, M. Duray se repose.
e. Laurent dit à Bernard qu'il ne se sent pas bien.
f. M. Duray invite ses journalistes à passer un week-end en Camargue.
g. Bernard tombe de cheval.

2 Qui dit ces phrases ?

a. Tu veux que j'appelle un médecin ?
b. Tu crois vraiment qu'il est malade ?
c. Je n'en avais jamais vu autant...
d. Vous venez avec nous, mon cher Henri ?
e. C'est au cirque Barnum que vous avez appris à monter à cheval ?

3 Éliminez les phrases qui n'expriment pas un refus ou un essai de refus.

a. C'est-à-dire... je ne sais pas très bien...
b. C'est une idée formidable ! Mais...
c. C'est dommage, mais vraiment, c'est impossible...
d. Non, pas pour le moment, tu es gentil...
e. Non... Vous savez, le travail...
f. Je vous en prie.

4 Vrai ou faux ?

a. Martine répond à M. Duray qu'elle est prise pour le week-end.
b. Bernard appelle un médecin pour Laurent.
c. Duray se recouche quand les autres sont partis.
d. Bernard se blesse gravement en tombant de cheval.

5 Qu'est-ce qu'ils disent ?

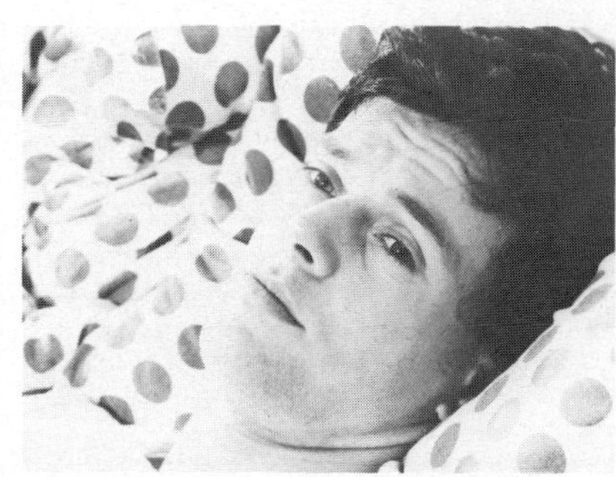

ÉMISSION 23

REPORTAGE

EN CAMARGUE

Au Sud de la France,
Là où le Rhône
Se jette dans la mer,
Est un pays,
Presque désertique
Appelé la Camargue
Où vivent encore
Des troupeaux de chevaux sauvages.
Crin-Blanc était le chef de l'un de ces troupeaux.
C'était un cheval fort et redoutable.

Extrait de *Crin-Blanc*, Albert Lamorisse, © Hachette

Un manadier en Camargue

L'interviewer

Nous sommes en Camargue.
La Camargue, le pays de la vigne, des flamants roses, du riz, mais surtout le pays où l'amour du cheval et des taureaux passe avant la religion et la politique.

Le manadier

Eh oui... En Camargue, le plus important, c'est le cheval et le taureau. Ma femme elle-même me dit qu'elle passe après mon cheval !

L'interviewer

Vous avez beaucoup de taureaux ?

Le manadier

Non... une centaine. J'ai cinq gardians. Mais les plus grosses manades ont de cinq cents à six cents bêtes.

L'interviewer

Il y a longtemps que vous aimez les taureaux ?

Le manadier

Oh ! depuis toujours. Quand j'avais seize ans, mon père m'a donné un cheval préparé pour les taureaux, et j'ai pu commencer à « trier ».
Tenez. Regardez ces gardians. Ils sont en train de trier. Ils séparent du troupeau un taureau pour l'amener au travail.

- Qu'est-ce qui caractérise la Camargue et en fait, dans le Midi, une région tout à fait à part ?
- Qu'aimeriez-vous voir et faire si vous alliez en Camargue ?

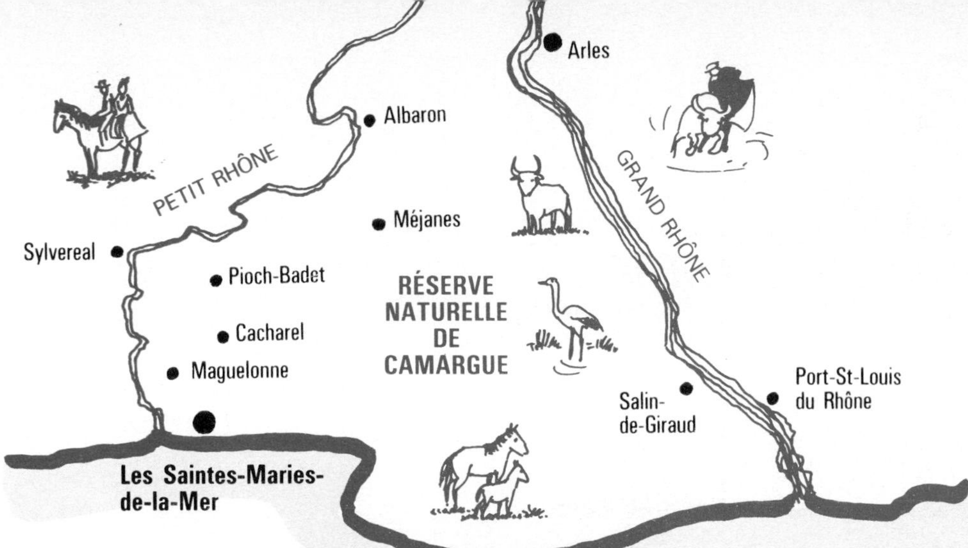

L'interviewer

Vous dites « l'amener au travail ». Vos taureaux travaillent ?

Le manadier

Bien sûr, ils travaillent ! On les prépare pour les courses à la cocarde. C'est une tradition ici. Il y en a dans toutes les fêtes. Il faut des taureaux légers, vifs, rapides. Pour ça, la race de Camargue est la meilleure.

L'interviewer

Mais, si je comprends bien, les courses à la cocarde sont un aspect de votre folklore ?

Le manadier

Ce n'est pas du tout du folklore ! Chez nous, les traditions sont bien vivantes ! C'est la vie de tous les jours. Dans toutes nos fêtes, il y a des taureaux et des chevaux, de mars à fin octobre. C'est ce qui nous fait vivre. C'est ce qui nous fait aimer ce pays !

L'interviewer

Et... ces traditions vont continuer longtemps en Camargue ? Qu'en pensent les jeunes ?

Le manadier

Oh, les jeunes, il y en a de deux sortes : il y a ceux qui aiment le rock et la moto ; ceux-là, ils ne resteront peut-être pas en Camargue ; et puis, il y a ceux qui aiment les chevaux et les taureaux, comme moi ; et eux, ils resteront.

Procession aux Saintes-Maries-de-la-Mer

Selon la tradition chrétienne, deux saintes — Marie Jacobé et Marie Salomé —, chassées de Judée, sont arrivées en Camargue sur un navire sans voile ni rame. Elles ont donné leur nom à la ville : les Saintes-Maries-de-la-Mer.
On célèbre chaque année ces deux saintes : de grandes fêtes réunissent des gitans venus de toutes parts, des gardians, des pêcheurs... et de nombreux touristes.

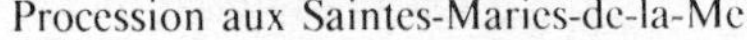

Les taureaux de Camargue sont légers, fins et rapides. Ils restent toujours en groupe sous la conduite d'un vieux mâle, leur chef.

ÉMISSION **23**

POUR COMPRENDRE ET POUR VOUS EXPRIMER

1 Le subjonctif

Emploi : on emploie le subjonctif après :

- les verbes exprimant
  - — un sentiment — On regrette que tu ne sois pas avec nous.
  - — une émotion — Je suis heureux que tu aimes la Camargue.

- il faut que — Il faut que nous partions.
- vouloir que — Que veux-tu que j'y fasse ?

Formation : verbes en **-er** et en **-ir** à l'infinitif :

radical de la 3ᵉ personne du pluriel du présent + terminaisons

chant-
finiss-

	singulier	pluriel
1ʳᵉ personne	**-e**	**-ions**
2ᵉ personne	**-es**	**-iez**
3ᵉ personne	**-e**	**-ent**

(Voir grammaire p.143)

Dans ce cas, les formes de la 1ʳᵉ, 2ᵉ et 3ᵉ personne du singulier, et celle de la 3ᵉ personne du pluriel ont la même prononciation.

Je veux que tu sortes.
Il faut qu'elles sortent.

⚠ Beaucoup de verbes ont des formes irrégulières :

Par exemple :

ÊTRE : que je sois, que tu sois, qu'il/elle soit, que nous soyons, que vous soyez, qu'ils/elles soient

FAIRE : que je fasse, que tu fasses, qu'il/elle fasse, que nous fassions, que vous fassiez, qu'ils/elles fassent

▶ Donnez des ordres.

Ex. : Pars. / Je veux que tu partes.

a. Téléphone. / Je veux ...
b. Montez à cheval.
c. Soyez heureux.
d. Levez-vous.

▶ Donnez des conseils.

Ex. : Reste au lit. / Il faut que tu restes au lit.

a. Fais attention. / Il faut ...
b. Soigne-toi.
c. Soyez gentil.
d. Faites des photos.

⚠ Si le sujet du deuxième verbe est le même que celui du verbe principal, on n'emploie pas le subjonctif mais l'infinitif.
Je regrette de **partir.**
Elle veut **voyager.**

▶ Qu'est-ce qu'ils veulent faire?

2 Exprimer l'éventualité, la probabilité

- avec «devoir» : Vous devez avoir soif.
  Il a dû attraper froid.
- avec des adverbes :
  Vous avez probablement soif.
  peut-être
  sans doute

  ⚠ sans doute = probablement
  sans aucun doute = c'est certain
- avec «penser», «croire», «supposer»... :
  Je pense que vous avez soif.
- avec le conditionnel ... : Un médecin viendrait ...

▶ Transformez les phrases suivantes.

Ex. : Laurent doit avoir une grippe.
→ Je pense que Laurent a une grippe.

a. Laurent est sans doute malade.
b. Laurent a dû attraper froid.
c. Bernard n'est jamais monté à cheval.
d. M. Duray n'avait pas l'intention de travailler.
e. Le gardien plaisantait.

3 Exprimer des regrets

Ce week-end en Camargue,
ça aurait été formidable!
conditionnel passé

▶ Exprimez les regrets de Laurent.

Ex. : Monter à cheval, ça aurait été mon rêve.

a. visiter la Camargue
b. voir des flamants roses
c. jouer à la pétanque

ÉMISSION **23**

• Comprendre les intonations et les mimiques

1 Vous allez entendre un personnage dire une phrase.
a. Dites quel est le personnage qui parle.
b. Parmi les trois propositions, choisissez celle qui vous semble exprimer le mieux l'intention de celui ou celle qui parle.
c. Justifiez votre choix (repensez à la situation où cette phrase a été dite).

Ex. : «Ce week-end en Camargue, ça aurait été formidable!»
☐ excuse ☐ reproche ☒ regret

a. C'est Laurent qui parle.
b. Laurent exprime un regret.
c. Laurent veut faire croire à Bernard qu'il aurait bien voulu partir avec eux.

1 «Il a dû attraper froid!»
☐ sympathie ☐ ironie ☐ doute

2 «Mon ami Denys m'a dit que vous étiez un excellent cavalier!»
☐ compliment ☐ doute ☐ moquerie

3 «Non, je disais ça pour rire!»
☐ plaisanterie ☐ ironie ☐ excuse

2 Qu'expriment leurs visages?
Vous pouvez cocher plus d'une case.

a. Sur la photo n° 2 page 125, Bernard a l'air :
☐ surpris ☐ soucieux ☐ découragé
b. Sur la photo n° 3, monsieur Duray a l'air :
☐ déprimé ☐ d'excellente humeur ☐ satisfait
c. Sur la photo n° 6, Denys de la Canardière a l'air :
☐ souriant ☐ sympathique ☐ ennuyé
d. Sur la photo n° 7 , Bernard a l'air :
☐ malade ☐ de mauvaise humeur
☐ moqueur

1 2 3 4 5 6 7

• Construire un texte

1 Écrivez un résumé de l'épisode
— pour quelqu'un qui connaît déjà les émissions précédentes d'*Avec Plaisir*.
— pour quelqu'un qui n'a jamais entendu parler d'*Avec Plaisir*.

2 Prenez le point de vue d'un personnage.
Bernard écrit une lettre à un de ses amis lyonnais et lui raconte l'histoire. Comme toujours, il n'a pas le plus mauvais rôle!

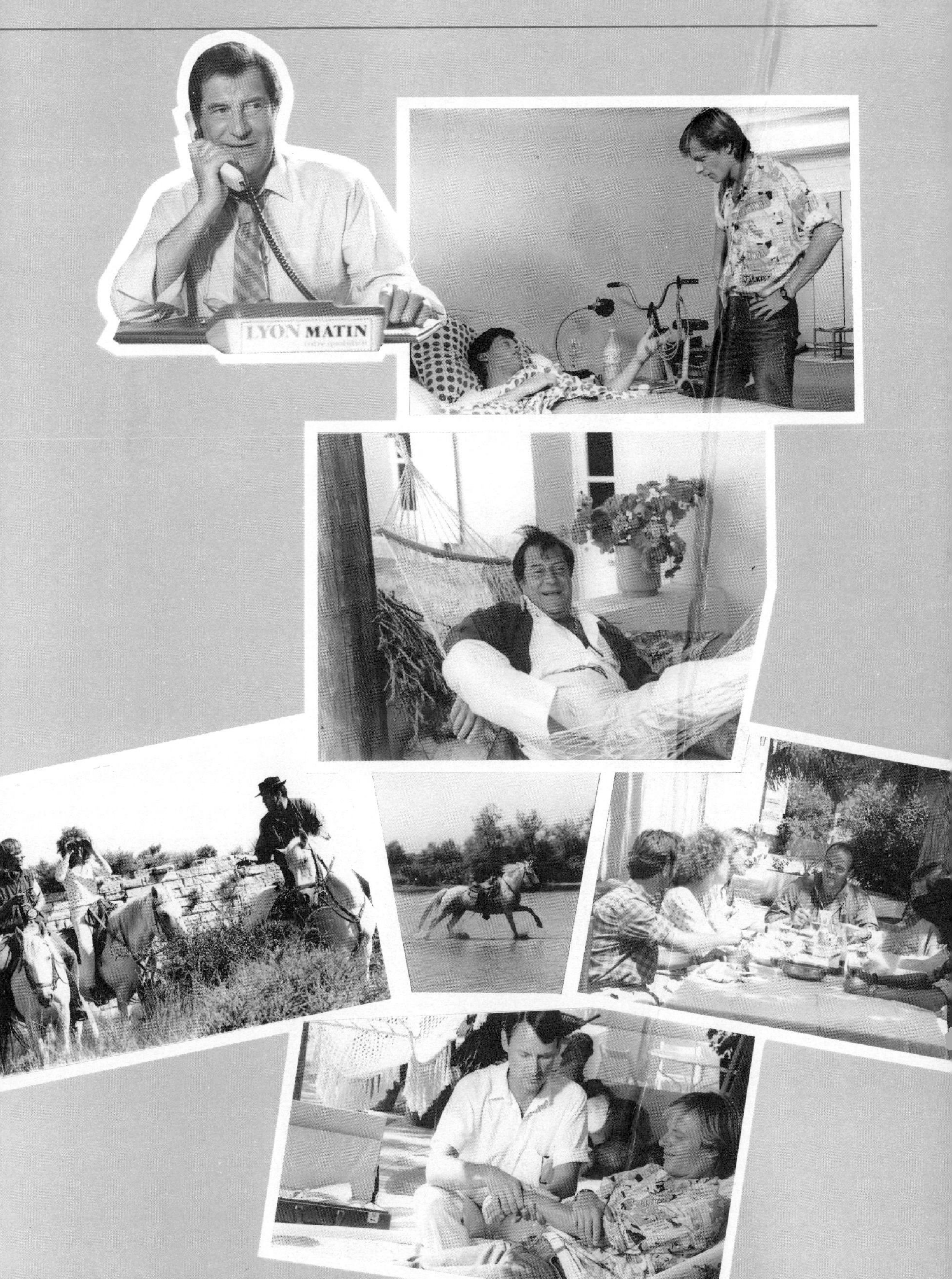
LYON MATIN

ÉMISSION **24**

SILENCE ! ON TOURNE...

OBJECTIFS

Découvrir

- **des lieux** : les studios de la Victorine à Nice, un studio de tournage
- **des gens** : un metteur en scène et son assistant, des comédiens, Pierre Sisser, réalisateur d'*Avec Plaisir*

Apprendre

- **à exprimer des souhaits, des intentions**
- **à faire des suppositions**
- **à donner des directives**
- **à persuader**
- **à interdire**
- **à exprimer la peur et l'irritation**

et pour cela, utiliser

— les principaux temps et modes des verbes

— l'interrogation indirecte et le style indirect

— *faire* + infinitif

IMAGINEZ L'HISTOIRE...

les lieux

1 dans les studios de la Victorine, à Nice

2 dans le parc de la Victorine

3-4 sur une affiche de cinéma

l'action

1 2 3 4

Posez-vous des questions.

Martine fait du cinéma ?

Pourquoi est-ce que Martine gifle son partenaire ?

Pourquoi ont-ils l'air découragé ?

Martine est-elle devenue une star ?

24

Qui n'a pas eu envie un jour de devenir acteur ?
Martine va-t-elle changer de profession ?

PREMIÈRE PARTIE

Aux studios de la Victorine, à Nice

Une petite voiture s'arrête à la barrière des studios. Au volant, Martine.

Le gardien : Bonjour, Mademoiselle. Vous désirez ?

Martine : Martine Doucet, de *Lyon-Matin*. Je viens faire un reportage sur le tournage du film *Virginia et l'amour*.

Le gardien : C'est le studio nº 1. Vous ne pouvez pas vous tromper, c'est le plus grand.

Martine : D'accord. Merci !

Un groupe de jeunes gens attend dans un coin du studio. A une table sont assis un metteur en scène et son assistant.

Le metteur en scène : *(à son premier assistant)* ⟨Bon, choisissons les comédiens pour les petits rôles !

Le metteur en scène s'adresse tout d'abord à une jeune fille placée devant Martine.

Le metteur en scène : Quel est votre nom ?

La jeune fille : Odile... Odile Riva.

Le metteur en scène : Et votre âge ?

La jeune fille : Vingt ans.
Vingt-deux, Monsieur !

L'assistant : Et qu'est-ce que vous faites dans la vie ?

La jeune fille : Je suis étudiante. Mais j'aimerais tant faire du cinéma !

Le metteur en scène se penche vers son assistant.

Le metteur en scène : *(à voix basse)* Qu'est-ce que tu en penses ?

L'assistant : On pourrait la prendre pour la scène de la plage...

Le metteur en scène : *(à la jeune fille)* D'accord.
Vous serez convoquée dans quelques jours.

La jeune fille : Merci, Monsieur, merci.

L'assistant : Suivant... ⟩

C'est un garçon qui se présente.

Le metteur en scène : Vous avez votre permis de conduire ?

Le garçon : J'ai mon permis de conduire les voitures, je monte à cheval, je fais du judo, je nage...

Le metteur en scène : Doucement, doucement...
Je ne vois pas très bien dans quelle scène vous employer.
(Il réfléchit.) Non, vraiment je ne vois pas !

Le garçon : S'il vous plaît, monsieur...

L'assistant dit à voix basse à l'oreille du metteur en scène : « Pour la scène de la plage... »

Le metteur en scène : Bon, d'accord. Alors, pour la séquence de la plage, deux jours de tournage.

Le garçon : Super !

L'assistant : Suivant !

Le metteur en scène désigne Martine.

Le metteur en scène : Vous...

Martine : Moi !
Ah, mais, Monsieur, je...

ÉMISSION 24 *SILENCE ! ON TOURNE...*

Le metteur en scène : Approchez !

Le metteur en scène : Quel est votre nom ?

Martine : Martine... Dupont.

L'assistant : Vous l'écrivez avec un T, ou avec un D ?

Martine : Dupont avec un T.
D.U.P.O.N.T.

Le metteur en scène : C'est un nom très répandu.

Martine : Effectivement.

Le metteur en scène : Vous avez déjà fait du cinéma ?

Martine : Non.

Le premier assistant se penche vers le metteur en scène.

Le metteur en scène : ⟨Vous savez que Linda Davis ne peut plus tourner le film...

L'assistant : Et pourquoi ?

Le metteur en scène : Elle attend un enfant. Elle ne l'avait pas dit.

L'assistant : Et alors ?

Le metteur en scène : Et alors, à moins de lui faire jouer un rôle de mère de famille...

L'assistant : Mais qu'est-ce qu'on va faire ?

Le metteur en scène : La petite, elle me paraît intéressante.

L'assistant : *(pas convaincu)*
Vous croyez ?

Le metteur en scène : Je vais faire un essai tout de suite. ⟩

L'assistant : Ah bon !

L'assistant s'adresse aux autres figurants.

L'assistant : C'est fini pour aujourd'hui, merci...
(à Martine) Non, pas vous.

Dans le bureau de Nice

Laurent est en train d'écrire. Entre Bernard.

Bernard : ⟨Salut... ça va ?
Martine n'est pas là ?

Laurent : Non. Je ne sais pas où elle est.

Bernard : Bonjour Xavier ! Tu ne sais pas où est Martine ?

Xavier : Aucune idée...

Laurent : Elle s'est peut-être fait enlever par un riche prince arabe...

Bernard : Par moment, tu n'es vraiment pas drôle. ⟩

Dans les studios de la Victorine

Martine est seule devant la caméra.

Le metteur en scène : Moteur !

Le cameraman : Ça tourne...

Le metteur en scène : Regardez la caméra. Mettez-vous de profil. Très bien. Puis l'autre côté. Maintenant... souriez. Parfait. Coupez. Merci.
Mon film s'appelle *Virginia et l'amour.* Il raconte la vie sentimentale d'une jeune fille moderne... mais très seule. Elle n'a qu'une amie : Monika.
C'est le rôle de Monika que je veux vous donner... On projette votre essai, ce soir, à dix-huit heures. Je vous téléphonerai après.

Martine : Merci.

Au bureau de Nice

Bernard et Laurent travaillent. Martine arrive.

Bernard : Ah ! te voilà !

Martine : ⟨Oh, mes amis, il m'arrive une histoire incroyable !

Laurent : *(un peu morose)*
Ah bon ! Encore ?

Martine : Voilà ! Je voulais faire un reportage sur les studios de la Victorine et le tournage d'un film.
J'ai voulu être discrète, mais... le metteur en scène m'a remarquée. Et maintenant, il veut me donner le deuxième rôle féminin !
C'est tout l'effet que ça vous fait ?
Moi, je trouve ça passionnant.

Bernard et Laurent : Et nous ?

Martine : Comment ça, et vous ?

Laurent : Bien, on ne veut pas que tu nous laisses. Si tu tournes un film, qu'est-ce qu'on fait pour *Lyon-Matin*, pour *Radio-Rivage*?

Martine : Oh, soyez gentils ! Vous me remplacerez pendant quelques semaines.

Bernard : Alors tu veux qu'on fasse ton travail !

Martine : C'est ça ! Oh ! vous êtes des amours. Et puis, je vous rapporterai un formidable reportage sur la fabrication d'un film... ⟩

Le téléphone sonne.

Martine : C'est pour moi !
(Elle décroche.)
Allô ! Oui ? les studios de la Victorine ?
Oui, c'est ça...
Oui, Monsieur
Les essais... c'est oui !
Si je suis heureuse ? Ravie !
Merci, Monsieur !
(à Bernard et Laurent) C'est oui !

DEUXIÈME PARTIE

Aux studios de la Victorine

Une maquilleuse et une coiffeuse sont en train de « transformer » Martine.

Le metteur en scène : Comme ça, Martine, vous êtes magnifique !

Martine : *(l'air ahuri)*
Vous trouvez ?

Le metteur en scène : Mais oui !

Martine : Mes chaussures me font mal et puis, avec la robe, je ne peux pas respirer.

L'assistant : Tu n'as qu'à ne pas respirer ! Tout ce qu'on te demande, c'est d'être naturelle.

Martine : Facile à dire !

Martine tourne sa première scène.

Le metteur en scène : Moteur !

Le cameraman : Ça tourne.

Le metteur en scène : Annonce.

L'assistant : *Virginia*, cinq cinquante-cinq, première.

Le metteur en scène : Action ! Coupez !
(à Martine) ⟨ Pourquoi est-ce que tu marches comme ça ? Mais ce n'est pas naturel !

Martine : *(gênée)*
C'est parce que j'ai mal aux pieds !
Mes chaussures sont trop petites !

Le metteur en scène s'adresse au cameraman.

Le metteur en scène : Est-ce qu'on voit ses pieds ?

Le cameraman : Non non, ça va.

Le metteur en scène : Bon alors, enlève tes chaussures.

Le cameraman : Maintenant c'est lui qui est trop petit, je ne peux pas cadrer.

Le metteur en scène : *(aux machinistes)*
Apportez-lui un cube.

Le cameraman : Maintenant il est trop grand !

Le metteur en scène : Un autre cube !
(au cameraman)
Fais un plan plus serré.
(à Martine) Et toi, baisse-toi un peu.

Le cameraman : Maintenant, c'est bien.

Le metteur en scène : Bon, sois naturelle ! Moteur !

Le preneur de son : Ça tourne. ⟩

Le cameraman : Annonce !

L'assistant : *Virginia*, cinq cent cinquante-cinq, deuxième.

Le metteur en scène : Action !

Martine : Pardon, vous avez du feu ?

Le partenaire : Bien sûr.

Le pompier : *(au fond du studio)*
⟨ Eh ! mais ça ne va pas, ça !

Le metteur en scène : Coupez ! Qu'est-ce qu'il y a encore ?

Le pompier : C'est interdit de fumer dans les studios !

Le metteur en scène : Mais c'est dans mon film... cette scène de la cigarette est très importante !

Le pompier : C'est impossible. Il faut appeler les services de sécurité...

SILENCE ! ON TOURNE...

Le metteur en scène : *(ivre de rage)*
Ah bon ! si c'est comme ça, je m'en vais ! 〉

L'assistant : *(flegmatique)*
Bon, c'est fini pour aujourd'hui. Demain neuf heures.

Le lendemain

Martine est devant la caméra, avec son partenaire.

Le metteur en scène : Bon alors, vous voyez, vous lui donnez une gifle. Mais pas très forte. Vous faites seulement le geste ! Bon... Répétition !

Le metteur en scène : Là, c'est bien, mais pas assez fort ! Attention... plus fort... on va tourner. Moteur !

Martine, énervée par le tournage, envoie alors une formidable gifle à son partenaire.

Le partenaire : Aie ! Au secours, c'est une folle ! Elle a voulu me tuer. Je ne veux plus la voir ! *(à Martine)*
Je vous interdit de me toucher. Salut !

Le metteur en scène : Bon, on finit le film sans lui !

L'assistant : Mais ce n'est pas possible ! Le rôle n'est pas terminé !

Le metteur en scène : Alors, on le remplace !

L'assistant : Ah bon ! Messieurs-Dames, c'est fini pour aujourd'hui.

Martine, épuisée, s'asseoit sur le siège de l'opérateur.

Martine : *(à elle-même)*
Je n'en peux plus !

Une grue l'enlève dans les airs.

Martine : Au secours !

Le metteur en scène : *(furieux)*
Qu'est-ce que vous faites là-haut !

Martine : Mais je ne sais pas... J'ai peur ! J'ai le vertige !
Ça bouge, au secours !

Le metteur en scène : Je travaille avec des fous !
J'en ai assez ! Je m'en vais !

Martine : Eh ! Et moi ? Vous m'oubliez ? Au secours. J'ai peur !

Trois mois plus tard...

Martine (voix off) : Le metteur en scène a quand même fini par terminer son film ! Ma série d'articles sur le cinéma a eu beaucoup de succès dans *Lyon-Matin.* J'avais déjà oublié tout ça, quand...

Le téléphone sonne.

Martine : Allô !
Les studios de la Victorine...
Oui, c'est moi ! Une projection du film ?
Demain à quatorze heures. D'accord ! Au revoir.

***Dans une salle de projection aux studios de la Victorine. On projette le film* Virginia et l'amour.**

Le partenaire : Je dois choisir entre Virginia et toi, Monika ! Comprends-moi ! Pardonne-moi !

Martine : Jamais... Je préfère mourir !

Les gens sortent de la salle de projection.

Laurent : 〈 Ce n'est pas un chef-d'œuvre !

Martine : *(de mauvaise humeur)*
Je n'ai jamais dit que c'était un chef-d'œuvre !

Bernard : Ah... Ne te fâche pas ! 〉

***Devant un petit cinéma, à Nice, deux jeunes garçons regardent une affiche qui annonce* Virginia et l'amour.**

1er garçon : 〈 Qui c'est ?

2e garçon : Aucune idée.

1er garçon : C'est pas grave !

Les jeunes garçons aperçoivent Martine.

1er garçon : *(à Martine)*
C'est vous ?

2e garçon : Vous ne voulez pas me signer une photo ?

Martine : *(très douce)*
Ah non ! je n'ai pas de photo... Je ne suis pas actrice.

1er garçon : Alors, c'est vous ou ce n'est pas vous ?

Martine : *(Elle hésite.)*
Non, ce n'est pas moi ! Je ne suis pas actrice, je suis journaliste ! Au revoir ! 〉

AVEZ-VOUS BIEN SUIVI L'HISTOIRE ?

1 Mettez les événements dans le bon ordre.

a. Martine attend un coup de téléphone du metteur en scène.
b. Le pompier arrête le tournage du film.
c. La grue emporte Martine qui crie de peur.
d. Martine est engagée comme second rôle dans *Virginia et l'amour.*
e. Deux garçons reconnaissent Martine dans la rue.
f. Les trois amis sont d'accord pour trouver le film très mauvais.
g. Dans une scène du film, Martine donne une gifle à son partenaire.
h. Le metteur en scène fait faire un essai à Martine.

2 Qui parle à qui ?

a. Vous serez convoquée dans quelques jours.
b. Par moments, tu n'es vraiment pas drôle.
c. Oh, mes amis, il m'arrive une histoire incroyable !
d. Alors, tu veux qu'on fasse ton travail !
e. Tu n'as qu'à ne pas respirer.
f. C'est interdit de fumer dans les studios.

3 Éliminez les phrases qui n'expriment pas l'irritation.

a. C'est tout l'effet que ça vous fait ?
b. Alors, tu veux qu'on fasse ton travail ?
c. Si je suis heureuse ? Ravie !
d. Si c'est comme ça, je m'en vais...
e. J'en ai assez !
f. Ce n'est pas un chef-d'œuvre !

4 Vrai ou faux ?

a. Martine remplace une actrice qui attend un enfant.
b. Les chaussures qu'on donne à Martine lui font très mal.
c. Pour une prise de vue, Martine doit monter sur un cube.
d. Martine demande du feu au pompier.
e. Martine n'ose pas gifler son partenaire.
f. Le film est vraiment très réussi.

5 Qu'est-ce qu'ils disent ?

REPORTAGE

LE FESTIVAL DE CANNES

Cannes, Palais des Festivals

M. Sisser, réalisateur

L'interviewer

Pierre Sisser, vous réalisez *Avec plaisir*. Mais, au fait, que faut-il dire, metteur en scène ou réalisateur ?

Pierre Sisser

Un metteur en scène met en scène. Il dirige des comédiens sur une scène. C'est un mot qui vient du théâtre. Le réalisateur met également des comédiens en scène, mais il dirige aussi toute la partie technique d'un tournage : il place les caméras, il choisit les objectifs, il demande les lumières, il supervise le montage... «Réalisateur» me paraît plus juste.

L'interviewer

Très bien. Alors, demandons au réalisateur de nous parler de son métier.

Pierre Sisser

Il y a trois étapes principales dans notre travail, d'à peu près égale durée. Nous avons, pour chaque film, la préparation, le tournage, et le montage. Par exemple, pour *Avec plaisir*, le feuilleton que nous tournons ensemble, nous avons eu dix semaines de préparation, neuf semaines de tournage, et nous aurons onze semaines de montage.

L'interviewer

Ce qui représente, pour une série télévision, environ six mois de travail.

Pierre Sisser

Exactement... Exactement, mon travail commence lorsqu'un auteur me donne un texte. Je le lis, ensuite j'essaie de voir des images. Puis, je le découpe en séquences, puis en plans, et ça donne un scénario, un gros livre comme celui-ci.

L'interviewer

Donnez-nous un exemple concret.

Pierre Sisser

Tenez : l'auteur écrit : «Martine rencontre Bernard dans un bureau de *Lyon-Matin*.» Je dois tout d'abord imaginer Martine, et trouver la comédienne idéale pour interpréter le rôle. Pour cela, je vais rencontrer dix, vingt, trente comédiennes pour déterminer celle qui sera parfaitement Martine. Dans notre cas, c'est Charlotte Kadi. Je dois ensuite trouver ce lieu, ce bureau, le chercher dans la réalité, le repérer sur le terrain...
Notre équipe comprend ving techniciens environ, un direc teur de la photo, une script des cameramen, des preneu de son, des électriciens, d machinistes, une costumiè une maquilleuse et, bien ente du, quatre acteurs principa plus soixante-sept seconds les, et deux cents à trois ce figurants !

nterviewer

ensuite ?

ierre Sisser

nsuite, je passe au montage. e travaille avec un monteur et son assistante. Je travaille dans cette salle de montage, sur des kilomètres de pellicule. Chacun des six cent vingt et un plans a été tourné cinq fois, six fois en moyenne, et nous choisissons, ici, la meilleure prise, celle où non seulement les acteurs mais aussi le son et la lumière sont les meilleurs. Puis, nous... nous montons en séquences, selon l'ordre du scénario. Ensuite nous ajoutons des sons, par exemple un téléphone qui sonne, un avion qui passe, un chien qui aboie. Ensuite nous rajoutons de la musique... nous mixons le tout, et... et ça donne un film.

- Quelle(s) différence(s) y a-t-il entre un réalisateur de télévision et un metteur en scène de théâtre ?
- Pourquoi la côte d'Azur est-elle une région privilégiée pour le cinéma ?

Le Festival a fêté ses 40 ans !

Le Festival de Cannes, créé en 1946, a été la première grande manifestation internationale de l'après-guerre. Son succès et son prestige ont été immédiats. Il attire chaque année, en mai, de 10 000 à 15 000 professionnels du cinéma et 2 000 journalistes. 25 pays envoient leurs films et la compétition est dure...
Toutes les grandes vedettes du cinéma mondial ont été photographiées sur la Croisette...
Grâce au Festival de Cannes, des cinémas encore peu connus ont été révélés au grand public, du néoréalisme italien avec *Rome, ville ouverte* en 1946, au cinéma turc avec *Yol* en 1983.
Mais ce qui faisait la « une » des journaux au moment du Festival, jusque dans les années 70, ce qui donnait un parfum de liberté et de scandale à ce grand marché du film, a presque disparu. Les starlettes, ces jeunes femmes, jolies mais encore inconnues, ces « aspirantes vedettes » qui se montraient sur les plages pour séduire les producteurs, ne viennent plus à Cannes. Ou bien, si de futures Brigitte Bardot, la plus célèbre de toutes, se montrent encore en monokini, on ne les remarque plus...
Elles avaient pourtant contribué à créer cette ambiance de fête et de rêve, mais aussi de rivalités et d'intrigues, qui reflétait si bien les deux faces du décor.

LES PALMES D'OR DU FESTIVAL

Un jury international, composé en majorité de personnalités non françaises, est constitué pour chaque festival. Ce jury récompense le film qu'il juge le meilleur en lui donnant la « palme d'or ».

1980 — Kagemusha, d'Akira Kurosawa
All that jazz, de Bob Fosse
1981 — L'homme de fer, d'Andrzej Wajda
1982 — Missing, de Costa Gavras
Yol, de Yilmaz Güney
1983 — La ballade de Narayama, de Shohei Imamura
1984 — Paris, Texas, de Wim Wenders
1985 — Papa est en voyage d'affaires, d'Émir Kusturica
1986 — The mission, de Roland Joffé

Nous pouvons souvent tout lire du caractère d'un homme à travers une seule de ses expressions, à travers un froncement de sourcils ou un clignement d'yeux. (...) La mimique n'est pas seulement le propre de l'homme. Les chiens, vous le saurez si vous en avez un, peuvent avoir une mimique très expressive.

Carl Th. Dreyer, *Réflexions sur mon métier.*
Cahiers du cinéma.

Je crois que notre fonction, c'est d'ouvrir les fenêtres.

Jean Renoir, *Entretiens et propos.* Cahiers du cinéma.

Non seulement le cinéma a rattrapé son retard sur la vie, mais encore nous donne-t-il parfois l'impression de l'avoir devancée...

François Truffaut, *Les films de ma vie.*
Éditions Flammarion.

ÉMISSION 24

POUR COMPRENDRE ET POUR VOUS EXPRIMER

1 La concordance des temps

DISCOURS INDIRECT	
Proposition principale	**Proposition subordonnée**
— présent ou futur je sais je dirai	Indicatif • présent, passé composé, futur 1 que Linda Davis ne **peut** pas tourner le film. 2 qu'elle n'**a** pas **pu** tourner le film. 3 qu'elle ne **pourra** pas tourner le film.
— passé composé ou imparfait j'ai su je savais	• imparfait, plus-que-parfait 4 qu'elle ne **pouvait** pas tourner le film. 5 qu'elle n'**avait** pas **pu** tourner le film. Conditionnel • présent 6 qu'elle ne **pourrait** pas tourner le film.
— tous les temps On ne veut pas On ne voudra pas On ne voudrait pas On n'aurait pas voulu	Subjonctif présent que tu nous **laisses.**

▶ Dites ce qui s'est passé dans l'épisode 23.

Ex. : Martine a dit à ses amis (invitation en Camargue) ... que M. Duray les invitait en Camargue.

a. Elle a regretté ... (absence de Laurent).
b. Elle pensait ... (maladie de Laurent).
c. Bernard lui disait ... (grippe probable de Laurent).
d. Elle a dit à M. Duray ... (excuses de Laurent).
e. Elle a été désolée ... (chute de cheval de Bernard).

2 « faire » + infinitif

a - Le metteur en scène **fait jouer** Martine.
Martine devient le complément d'objet direct (COD) de « faire jouer » et se place après le verbe.

b - Le metteur en scène **fait jouer** un rôle de mère de famille à Linda.

Deux compléments :
un rôle de mère de famille, COD
à Linda, complément d'objet indirect (COI), dans ce cas complément d'attribution.

c - Martine **s'est** peut-être **fait enlever** par un prince.
« Se faire enlever » a ici le même sens que le passif « a peut-être été enlevée ».

▶ Qu'est-ce que le metteur en scène fait faire aux acteurs ?

Ex. : Les acteurs viennent.
→ Le metteur en scène fait venir les acteurs.
ou Le metteur en scène les fait venir.
Les acteurs font des essais.
→ Il fait faire des essais aux acteurs.
ou Il leur fait faire des essais.

a. Les acteurs étudient leur rôle.
b. Les acteurs répètent.
c. Les acteurs reprennent une scène.
d. Les acteurs changent de costume.
e. Les acteurs assistent à la projection.

3 Verbes suivis d'un infinitif

(voir *Avec Plaisir 1*, p. 101, pour une première liste)

1 **Verbe + infinitif**
aller, croire, désirer, espérer, sembler, souhaiter, préférer...

La jeune étudiante espère faire du cinéma.

2 **Verbe + de/d' + infinitif**
accepter de, choisir de, décider de, empêcher quelqu'un de, essayer de, oublier de, permettre à quelqu'un de, promettre de, proposer de, regretter de...

Le metteur en scène promet de convoquer la jeune fille.

3 **Verbe + à + infinitif**
aider à, chercher à, continuer à, se décider à, s'habituer à, hésiter à, penser à, réussir à, tenir à...

Martine cherche à convaincre ses amis.

▶ Complétez les phrases suivantes si c'est nécessaire.

a. Martine désire ... faire un reportage.
b. Elle cherche ... parler au metteur en scène.
c. Elle décide ... aller aux studios de la Victorine.
d. Elle accepte ... prendre un rôle.
e. Elle essaie ... convaincre ses amis.
f. Elle réussit ... jouer dans le film.
g. Elle regrette ... avoir fait ce film.

• Comprendre les intonations et les mimiques

1 Vous allez entendre un personnage dire une phrase.
a. Dites quel est le personnage qui parle.
b. Parmi les trois propositions, choisissez celle qui vous semble exprimer le mieux l'intention de celui ou celle qui parle.
c. Justifiez votre choix (repensez à la situation où cette phrase a été dite).

1 « Oh, mes amis, il m'arrive une histoire incroyable ! »
□ explication □ regret □ excuse

2 « Bon, sois naturelle. »
□ conseil □ ordre □ menace

3 « Alors, tu veux qu'on fasse ton travail ! »
□ question □ protestation □ demande de confirmation

4 « Qu'est-ce que vous faites là-haut ? »
□ surprise □ simple question □ irritation

5 « Je n'ai jamais dit que c'était un chef-d'œuvre ! »
□ tristesse □ doute □ mauvaise humeur

2 Qu'exprime le visage de Martine ?
a. Sur la photo n° 1, page 137 ?
b. Sur la photo n° 3 ?
c. Sur la photo n° 5 ?
d. Sur la photo n° 8 ?
e. Sur la photo n° 9 ?

1 2 3
4 5 6
7 8
9 10 11

3 Qu'expriment leurs attitudes ?
Décrivez les attitudes des personnages et interprétez-les.
a. Celle du metteur en scène sur la photo n° 2, page 137 ?
b. Celle du jeune homme sur la photo n° 6 ?
c. Celle du metteur en scène sur la photo n° 7 ?
d. Celle de Martine, Laurent et Bernard sur la photo n° 9 ?

• Construire un texte

1 Prenez le point de vue d'un personnage.
Martine écrit un article amusant sur ses aventures d'actrice.

2 Comme M. Duray va certainement entendre parler du film, Martine lui écrit une lettre d'explication pour l'assurer que le travail du bureau sera fait, et pour lui annoncer un grand article sur le métier d'acteur et le tournage d'un film...

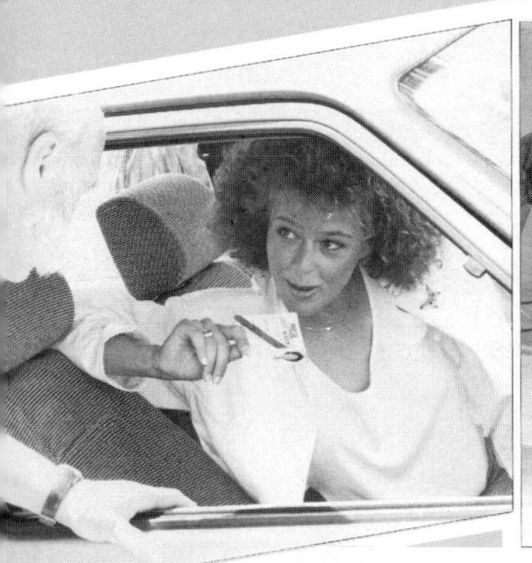

RITZ 3 CINEMAS

ÉMISSION **25**

A BIENTÔT...

Martine, Laurent et Bernard passent leur dernière journée en compagnie de monsieur Duray qui les a invités dans une propriété avec piscine qu'il a louée dans la forêt de l'Esterel.

Nous revoyons les scènes qu'ils évoquent.

Monsieur Duray, Martine, Laurent et Bernard entrent dans la propriété.

M. Duray : ⟨ Et voici ma surprise ! J'ai loué cette villa pour quelques jours, pour dire au revoir à la côte d'Azur.

Martine : Au revoir ? Vous partez ?

M. Duray : Moi, je reste à Lyon. Mais, pour vous, il y a du nouveau...

Bernard : Qu'est-ce que vous voulez dire ?

M. Duray : Je vais vous expliquer. Bon ! Mettez-vous en maillot et profitez de la piscine. Après, nous parlerons. ⟩

Martine : D'accord.

Au bord de la piscine.

M. Duray : *(au serveur)*
Ah... merci.
(aux trois amis)
⟨ Quand vous êtes arrivés à Nice, votre « association » avec *Radio-Rivage*, association que vous m'avez imposée...

Martine : Oh ! patron !

M. Duray : ... Si si, vous me l'avez imposée ! Enfin, cette histoire, au début, ça ne m'a pas beaucoup plu ! ⟩

***Martine loue une partie des bureaux de Xavier.**

M. Duray : ⟨ Inquiet donc de votre collaboration *Radio-Rivage*...

Martine : Jaloux ?

M. Duray : *(souriant)*
Allons, Martine, ne soyez pas méchante ! Non, je n'étais pas jaloux ! J'ai préféré associer *Lyon-Matin* avec *Radio-Rivage*, de façon à faire un meilleur travail, en collaboration... ⟩

***Monsieur Duray annonce l'association de *Lyon-Matin* avec *Radio-Rivage*. Les trois amis entendent M. Duray avec surprise sur leur transistor...**

M. Duray : ⟨ Très vite, j'ai compris que j'avais eu raison. J'ai été très content de votre travail. Tenez, un exemple : votre enquête sur la vie rurale, Laurent, était excellente. On sentait que c'était vécu... ⟩

***Laurent essaie de traire les chèvres. Mireille lui montre comment s'y prendre.**

M. Duray : ⟨ Bernard... vous êtes un mauvais cavalier ! ⟩

***Bernard fait des photos à cheval, en Camargue, et... il se retrouve dans la boue !**

M. Duray : ⟨... mais vous m'avez montré à Grasse que vous n'étiez pas seulement un bon photographe, mais aussi un vrai reporter.⟩

***Bernard est avec mademoiselle Fontana et monsieur Langlois, le « nez » qui reconnaît les parfums. Bernard renverse un flacon de parfum...**

M. Duray : ⟨Et enfin, Martine ! Ah là ! soyons franc ! Je suis fier d'avoir, dans mon équipe, la première reporter de football... ⟩

***Martine fait avec Jean-Pierre un reportage sur le match Nice-Toulouse.**

M. Duray : ⟨Voilà... pour les félicitations ! Mais, j'ai une question à vous poser : avez-vous toujours été contents de vous ?

Laurent : *(gêné)* Non, pas toujours.

Bernard : C'est vrai, de temps en temps on a eu des petits problèmes... ⟩

***A la galerie de peinture, Martine propose cinq cents francs pour le faux Matisse. Laurent empêche le faussaire de fuir et Martine se retrouve... encadrée !**

***Bernard pêche. Au premier poisson, il tombe à l'eau... comme à Annecy.**

Martine : ⟨Et, puisque nous parlons franchement... moi, je n'étais pas très fière quand vous nous avez retrouvés sur les îles de Lérins.

M. Duray : Ah ! Oui ! Vos petites vacances surprise... C'est vrai ! J'avais déjà oublié ! ⟩

***Dans la forteresse des îles de Lérins, Martine est effrayée par l'apparition de M. Duray.**

M. Duray : ⟨Mais le comble... alors là, vraiment le comble, c'est... le vol de ma voiture ! Ah ! j'étais furieux ! J'ai pensé vous renvoyer tous les trois.

Martine : Oh ! patron !

M. Duray : Il n'y a pas de « Oh ! Patron ! » Si, renvoyer ! Heureusement, on l'a retrouvée en Corse. C'est ça qui vous a sauvés ! ⟩

***La voiture où est enfermé Bernard monte sur le bateau qui va en Corse. Bernard, de plus en plus inquiet, explique la situation dans son *talkie-walkie*...**

***Martine rend Laurent responsable de toute l'histoire du vol de voiture.**
Le commissaire leur annonce l'arrestation des voleurs.

M. Duray : *(au serveur)* Merci, posez ça là !

Martine : Oh là là ! Cette villa, la piscine, du champagne... Expliquez-vous !

M. Duray : Eh bien, voilà... ⟨Nous avons réussi, ensemble, l'installation d'un bureau *Lyon-Matin* à Nice. Nous avons fait de *Radio-Rivage* une des premières radios de la côte d'Azur. Maintenant, nous allons faire une nouvelle expérience... la télévision !

Laurent : La télévision !

M. Duray : Exactement ! Après la presse et la radio, nous passerons à la télévision et à Paris !

Martine : A Paris !

M. Duray : Vous partez tous les trois, le mois prochain ! Champagne ! C'est une tradition pour les grandes nouvelles ! Non ? ⟩

Martine, Laurent et Bernard trinquent.

Bernard : *(à Laurent)* La télévision !

Laurent : Et, à Paris !!

Ils tombent dans la piscine, la coupe de champagne à la main...

Martine : A Paris !

M. Duray : Eh bien, maintenant, vous êtes dans le bain !

GRAMMAIRE

1. La phrase simple

• phrases déclaratives

Groupe du nom sujet	Groupe du verbe	Complément de phrase
Ces photos Laurent	sont excellentes. est journaliste	 à *Lyon-Matin.*
Vous Monsieur Duray	connaissez sa cousine est arrivé	depuis deux jours. de Lyon, hier.

Observez l'ordre des mots dans la phrase déclarative :
Sujet + Verbe + Complément (la place des compléments de phrase peut changer).

On peut transformer la phrase simple pour :

– interroger (phrases interrogatives)

a. questions appelant la réponse *Oui* / *Si* ou *Non*

– intonation montante ⟶ Vous avez des animaux ?
– *Est-ce que...* ⟶ Est-ce que vous avez des animaux ?
– intonation montante + *n'est-ce pas* ⟶ Vous avez des animaux, n'est-ce pas ?

⚠ Si la question est à la forme négative, la réponse *Oui* n'est pas possible.

Vous n'avez pas d'animaux ? ⟶ Non. (Je n'ai pas d'animaux).
⟶ Si. (J'ai des animaux).

⚠ Autres possibilités de réponses :

Oui : Avec plaisir, certainement...
Non : Surtout pas, pas question...
Ni oui, ni non : Peut-être, je vais voir...

b. questions portant sur un élément de la phrase

sur le sujet	**Bernard** habite Lyon. **La guitare** fait du bruit.	**QUI** habite Lyon ? **QU**'est-ce qui fait du bruit ?
sur l'attribut	Martine est **jolie.** Il est **journaliste.** Ils sont **dix.** La voiture est **rouge.**	**COMMENT** est Martine ? **QU**'est-ce qu'il est ? **COMBIEN** sont-ils ? / est-ce qu'ils sont ? **DE QUELLE COULEUR** est la voiture ?
sur le verbe	Vous **travaillez.**	**QU**'est-ce que vous faites ?
sur le complément direct	Bernard montre **ses photos.** Elle embrasse **ses parents.**	**QU**'est-ce que Bernard montre ? **QUI** est-ce qu'elle embrasse ?
sur le complément indirect	Laurent écrit **à Martine.** Martine pense **à son travail.**	**À QUI** est-ce que Laurent écrit ? **À QUOI** est-ce que Martine pense ?

sur un complément de phrase	Ils vont **à Lyon.** Ils viennent **de Lyon.** Elles partent **demain.** Il parle **vite.** Elle vient **pour te voir.** Ils restent **une semaine.** Ça coûte **vingt francs.**	**OÙ** est-ce qu'ils vont ? **D'OÙ** est-ce qu'ils viennent ? **QUAND** est-ce qu'elles partent ? **COMMENT** est-ce qu'il parle ? **POURQUOI** est-ce qu'elle vient ? **COMBIEN DE TEMPS** est-ce qu'ils restent ? **COMBIEN** est-ce que ça coûte ?

– Remarques : – En français parlé, on dit souvent :

Il produit **des fauteuils en cuir.** — Il produit **QUOI ?**
Elle viendra **demain.** — Elle viendra **QUAND ?**

– Si le mot interrogatif est en tête de phrase, on peut :

- utiliser *est-ce que*
- et garder l'ordre des mots de la phrase déclarative.

Il vient **à la fin des soirées.**

QUAND

Quand est-ce qu'il vient ?

— On utilise l'inversion sujet/verbe surtout en langue écrite.

a. Le sujet est **un pronom :** Pourquoi vient-il?
b. Le sujet est **un groupe nominal :** Pourquoi ton père vient-il?

⚠ Quand viendra-**t**-il?
Aime-**t**-elle les grands voyages?

— Quand la question porte sur un sujet qui est un nom de personne, on peut aussi avoir :

Qui est-ce qui habite Lyon?

– dire que Non (phrases négatives)

Martine **n'** aime **pas** le cinéma.
Ses parents **ne** sont **pas** allés à l'exposition.

On forme de la même manière les phrases négatives avec
ne... plus, ne... jamais, ne... que

⚠ **ne ... rien - ne ... personne**

Elle **ne** voit **rien.** / **personne.** mais : Elle **n'a rien** vu. / Elle **n'a** vu **personne.**

– mettre en relief un mot ou un groupe de mots

[Monsieur Duray] a téléphoné. → **C'est** [monsieur Duray] **qui** a téléphoné.

Laurent [vous] parle. → **C'est** [à vous] **que** Laurent parle.

Attention à l'accord du verbe :

C'est **vous** qui **faites** les devoirs de Jean-Pierre.

– exprimer fortement des sentiments et des émotions (phrases exclamatives)

Ces fleurs sont belles. → **Que** ces fleurs sont belles !
Quelles belles fleurs !

– mettre au passif

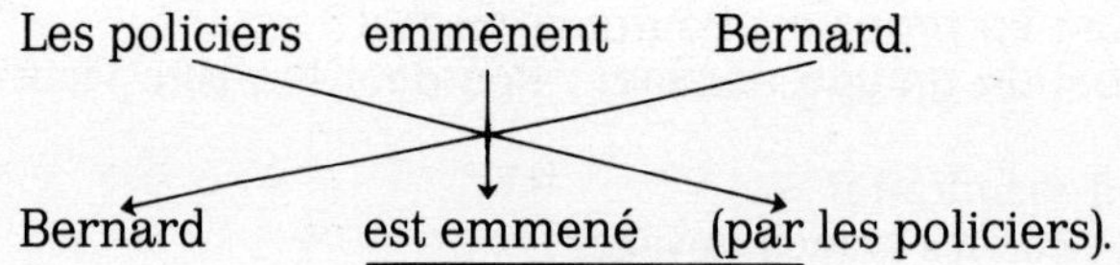

Les policiers emmènent Bernard.
Bernard est emmené (par les policiers).

– Remarque : On trouve souvent la construction : **On** + verbe.

Ces meubles sont fabriqués ici. = **On fabrique** ces meubles ici.

– **On peut réduire la phrase simple :**

Avec plaisir !
Un grand champion comme toi !
Pas de problème, Monsieur.

2. Le groupe du verbe

Le groupe du verbe porte :
— les marques de la personne : pronoms personnels et terminaisons ;
— les marques du temps : présent, passé, futur ;
— les marques du mode : indicatif, impératif, subjonctif.

C'est l'auxiliaire **avoir** qui sert à former les temps composés, sauf pour les verbes pronominaux *(Ils se sont levés)*, et pour une série de 14 verbes dits «de mouvement» *(aller/venir — monter/descendre — entrer/sortir — arriver/partir — tomber, rester, passer, devenir, naître, mourir)* qui prennent l'auxiliaire **être.**

• la conjugaison des verbes

VERBES RÉGULIERS

AIM**ER**

présent	imparfait	futur	passé composé	impératif	participe
j' **aim** e	j' **aim** ais	j' **aimer** ai	j' ai **aim** é		présent :
tu aim es	tu aim ais	tu aimer as	tu as aim é	**aim** e	**aim** ant
il / elle / on aim e	il / elle / on aim ait	il / elle / on aimer a	il / elle / on a aim é		
nous aim ons	nous aim ions	nous aimer ons	nous avons aim é	aim ons	passé :
vous aim ez	vous aim iez	vous aimer ez	vous avez aim é	aim ez	aim é
ils / elles aim ent	ils / elles aim aient	ils / elles aimer ont	ils / elles ont aim é		

présent du subjonctif
que j' **aim** e
que tu aim es
qu'il / qu'elle / qu'on aim e
que nous aim ions
que vous aim iez
qu'ils / qu'elles aim ent

conditionnel	plus-que-parfait
j' **aimer** ais	j' avais **aim** é
tu aimer ais	tu avais aim é
il / elle / on aimer ait	il / elle / on avait aim é
nous aimer ions	nous avions aim é
vous aimer iez	vous aviez aim é
ils / elles aimer aient	ils / elles avaient aim é

FINI**R**

je	**fini** s	je	**finiss** ais	je	**finir** ai	j'	ai **fin** i		présent :
tu	fini s	tu	finiss ais	tu	finir as	tu	as fin i	**finis**	**finiss** ant
il / elle / on	fini t	il / elle / on	finiss ait	il / elle / on	finir a	il / elle / on	a fin i		
nous	**finiss** ons	nous	finiss ions	nous	finir ons	nous	avons fin i	**finiss** ons	passé :
vous	finiss ez	vous	finiss iez	vous	finir ez	vous	avez fin i	finiss ez	**fin** i
ils / elles	finiss ent	ils / elles	finiss aient	ils / elles	finir ont	ils / elles	ont fin i		

présent du subjonctif	
que je	**finiss** e
que tu	finiss es
qu'il / qu'elle / qu'on	finiss e
que nous	finiss ions
que vous	finiss iez
qu'ils / qu'elles	finiss ent

conditionnel		plus-que-parfait	
je	**finir** ais	j'	avais **fin** i
tu	finir ais	tu	avais fin i
il / elle / on	finir ait	il / elle / on	avait fin i
nous	finir ions	nous	avions fin i
vous	finir iez	vous	aviez fin i
ils / elles	finir aient	ils / elles	avaient fin i

VERBES IRRÉGULIERS

Verbes les plus fréquents :

ÊTRE

présent		imparfait		futur		passé composé		impératif	participe
je	**suis**	j'	**ét** ais	je	**ser** ai	j'	ai **été**		présent :
tu	**es**	tu	ét ais	tu	ser as	tu	as été	**sois**	**ét** ant
il / elle / on	**est**	il / elle / on	ét ait	il / elle / on	ser a	il / elle / on	a été		
nous	**sommes**	nous	ét ions	nous	ser ons	nous	avons été	**soy**ons	passé :
vous	**êtes**	vous	ét iez	vous	ser ez	vous	avez été	soyez	ét é
ils / elles	**sont**	ils / elles	ét aient	ils / elles	ser ont	ils / elles	ont été		

présent du subjonctif	
que je	**soi** s
que tu	soi s
qu'il / qu'elle / qu'on	soi t
que nous	soy ons
que vous	soy ez
qu'ils / qu'elles	soi ent

conditionnel		plus-que-parfait	
je	**ser** ais	j'	avais **ét** é
tu	ser ais	tu	avais ét é
il / elle / on	ser ait	il / elle / on	avait ét é
nous	ser ions	nous	avions ét é
vous	ser iez	vous	aviez ét é
ils / elles	ser aient	ils / elles	avaient ét é

AVOIR

j' **ai**	j' **av** ais	j' **aur** ai	j' ai **eu**		présent : **ay** ant
tu **as**	tu av ais	tu aur as	tu as eu	**aie**	
il / elle / on **a**	il / elle / on av ait	il / elle / on aur a	il / elle / on a eu		
nous **av** ons	nous av ions	nous aur ons	nous avons eu	**ay** ons	passé : **eu**
vous **av** ez	vous av iez	vous aur ez	vous avez eu	ay ez	
ils / elles **ont**	ils / elles av aient	ils / elles aur ont	ils / elles ont eu		

présent du subjonctif	
que j'	**aie**
que tu	ai es
qu'il / qu'elle / qu'on	ai t
que nous	ay ons
que vous	ay ez
qu'ils / qu'elles	ai ent

conditionnel	plus-que-parfait
j' **aur** ais	j' avais **eu**
tu aur ais	tu avais eu
il / elle / on aur ait	il / elle / on avait eu
nous aur ions	nous avions eu
vous aur iez	vous aviez eu
ils / elles aur aient	ils / elles avaient eu

ALLER

je **vais**	j' **all** ais	j' **ir** ai	je suis **all**é(e)		présent : **all** ant
tu **vas**	tu all ais	tu ir as	tu es allé(e)	**va**	
il / elle / on **va**	il / elle / on all ait	il / elle / on ir a	il / elle / on est allé(e)		
nous **all** ons	nous all ions	nous ir ons	nous sommes allé(e)s	**all** ons	passé : all é
vous all ez	vous all iez	vous ir ez	vous êtes allé(e)s	all ez	
ils / elles **vont**	ils / elles all aient	ils / elles ir ont	ils / elles sont allé(e)s		

présent du subjonctif	
que j'	**aill** e
que tu	aill es
qu'il / qu'elle / qu'on	aill e
que nous	all ions
que vous	all iez
qu'ils / qu'elles	aill ent

conditionnel	plus-que-parfait
j' **ir** ais	j' étais **all**é(e)
tu ir ais	tu étais allé(e)
il / elle / on ir ait	il / elle / on était allé(e)
nous ir ions	nous étions allé(e)s
vous ir iez	vous étiez allé(e)s
ils / elles ir aient	ils / elles étaient allé(e)s

Autres verbes irréguliers :

FAIRE :	prés. :	je fais - nous faisons - vous faites - ils font
	fut. :	je ferai
	passé comp. :	j'ai fait
	prés. du subj. :	que je fasse
VOULOIR :	prés. :	je veux - nous voulons - ils veulent
	fut. :	je voudrai
	passé comp. :	j'ai voulu
	prés. du subj. :	que je veuille
POUVOIR :	prés. :	je peux - nous pouvons - ils peuvent
	fut. :	je pourrai
	passé comp. :	j'ai pu
	prés. du subj. :	que je puisse
DEVOIR :	prés. :	je dois - nous devons - ils doivent
	fut. :	je devrai
	passé comp. :	j'ai dû
	prés. du subj. :	que je doive
SAVOIR :	prés. :	je sais - nous savons
	fut. :	je saurai
	passé comp. :	j'ai su
	prés. du subj. :	que je sache
TENIR :	prés. :	je tiens - nous tenons - ils tiennent
	fut. :	je tiendrai
	passé comp. :	j'ai tenu
	prés. du subj. :	que je tienne
VENIR :	prés. :	je viens - nous venons - ils viennent
	fut. :	je viendrai
	passé comp. :	je suis venu(e)
	prés. du subj. :	que je vienne
DIRE :	prés. :	je dis - nous disons - vous dites - ils disent
	fut. :	je dirai
	passé comp. :	j'ai dit
	prés. du subj. :	que je dise
LIRE, PLAIRE, CONDUIRE :	prés. :	je lis/plais/conduis - nous lisons/plaisons/conduisons
	passé comp. :	j'ai lu/plu/conduit
	prés. du subj. :	que je lise/plaise/conduise
PARTIR, SORTIR :	prés. :	je pars/sors - nous partons/sortons
	passé comp. :	je suis parti(e)/sorti(e)
	prés. du subj. :	que je parte/sorte
VOIR, CROIRE :	prés. :	je vois/crois - nous voyons/croyons
	passé comp. :	j'ai vu/cru
	prés. du subj. :	que je voie/croie

PRENDRE,	prés. :	je prends - nous prenons - ils prennent
APPRENDRE,	passé comp. :	j'ai pris/appris/compris
COMPRENDRE :	prés. du subj. :	que je prenne/apprenne/comprenne
METTRE,	prés. :	je mets - nous promettons
PROMETTRE :	passé comp. :	j'ai mis/promis
	prés. du subj. :	que je mette/promette
BOIRE,	prés. :	je bois/reçois - nous buvons/recevons -
RECEVOIR :		ils boivent/reçoivent
	passé comp. :	j'ai bu/reçu
	prés. du subj. :	que je boive/reçoive
ÉCRIRE,	prés. :	j'écris/je vis - nous écrivons/vivons
VIVRE :	passé comp. :	j'ai écrit/vécu
	prés. du subj. :	que j'écrive/vive

Remarques importantes :

- Les verbes réguliers en -ER n'ont que 2 bases : Ex. : **aim**- et **aimer**- (futur et conditionnel)
- Les verbes réguliers en -IR ont 3 bases : Ex. : **fini**-, **finiss**-, et **finir**-
- Les verbes irréguliers ont 2 ou 3 bases au présent.

– L'imparfait a toujours la base de la première personne du pluriel du présent :

Nous **buv** ons → Je **buv** ais
Nous **finiss** ons → Je **finiss** ais

⚠ sauf pour *être* : **J'étais**

– Le passé composé se forme avec :

- **avoir + participe passé**

  J'ai vu. Nous avons téléphoné.

- **être + participe passé**

  – pour quelques verbes de mouvement :

aller	entrer	arriver	monter	passer	rester
venir	sortir	partir	descendre	tomber	devenir

  Nos trois amis sont partis.
  Martine et Véronique sont arrivées à cinq heures.

  – pour tous les verbes pronominaux :
  Elles se sont vues hier.
  Ils se sont promenés dans Lyon.

⚠ On doit alors faire l'accord du participe passé avec le sujet.

– Le futur et le conditionnel se forment avec :

l'infinitif + **ai - as - a - ons - ez - ont** (pour le futur)
ais - ais - ait - ions - iez - aient (pour le conditionnel)
(terminaisons de l'imparfait)

⚠ Certains verbes ont des bases irrégulières pour le futur et le conditionnel :

Futur	aller :	j'**ir**ai	avoir :	j'**aur**ai	vouloir :	je **voudr**ai
	faire :	je **fer**ai	savoir :	je **saur**ai	venir :	je **viendr**ai
	pouvoir :	je **pourr**ai	être :	je **ser**ai	tenir :	je **tiendr**ai
	voir :	je **verr**ai	devoir :	je **devr**ai	falloir :	il **faudra**

— Le plus-que-parfait se forme avec :

l'imparfait de l'auxiliaire avoir + participe passé
J'avais téléphoné. Nous **avions mangé.**

l'imparfait de l'auxiliaire être + participe passé (avec accord) dans les cas des verbes pronominaux et des 14 verbes dits «de mouvement».
Elles **s'étaient promenées** pendant deux heures.
Nos amis **étaient partis.**

— Le subjonctif présent se forme avec :
le radical de la **3e personne du pluriel du présent de l'indicatif**

Ils finissent	Que je **finisse**
Ils boivent	Que je **boive**

Si le verbe a un radical spécial à la 1re et à la 2e personne du pluriel du présent de l'indicatif, les personnes correspondantes du subjonctif utilisent ces radicaux.

Nous buvons	Que nous **buv**ions
Vous devez	Que vous **dev**iez

• l'emploi des temps

• Vous voulez raconter une série d'événements ou d'actions passés (Action 1, Action 2, Action 3)

→ employez le **passé composé.**

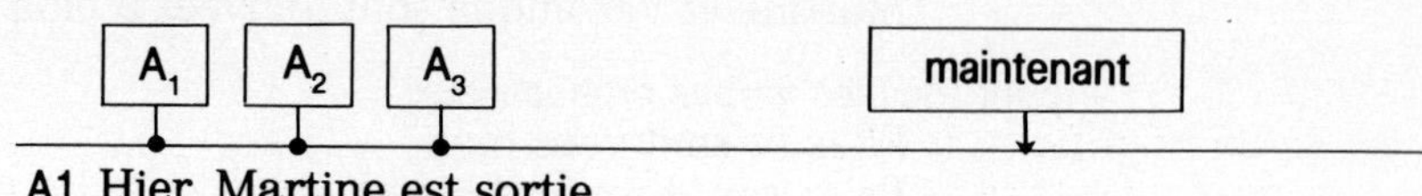

A1 Hier, Martine est sortie.
A2 Elle a pris un taxi.
A3 Elle est allée au journal.

Le passé composé est le temps du récit au passé.

⚠ Pour exprimer le **passé récent,** on emploie : *venir de* + infinitif.
Martine **vient de** sortir.

- Vous voulez, au contraire, décrire des circonstances, un décor, des lieux, des choses et des gens dans le passé

→ employez **l'imparfait.**

maintenant

Les rues étaient pleines de gens.
Ses amis l'attendaient.

- L'imparfait sert également à exprimer
  - l'habitude dans le passé : Elle allait au journal tous les matins.
  - l'hypothèse avec doute : Si Bernard avait de l'argent, il partirait en vacances.
  - la suggestion : Si on partait !

— Le souhait ou le regret : Si j'étais riche !
— La politesse : Je voulais vous demander un service.

L'imparfait est obligatoire dans une proposition subordonnée complétant un verbe comme *dire* ou *penser* au passé.

Bernard / **a dit** à Laurent / qu'il **allait** à Grasse.

- Vous voulez marquer l'antériorité d'une action par rapport à un moment du passé

→ employez **le plus-que-parfait.**

Quand tu es arrivé, j'avais (déjà) fini de manger.

Le plus-que-parfait sert également à exprimer l'hypothèse non réalisée dans le passé :

Si Bernard n'avait pas senti le parfum, Martine n'aurait pas eu de soupçons.

- **Le conditionnel** sert à exprimer :
  - — une hypothèse : (Si j'avais de l'argent), je partirais en voyage.
  - — la politesse : Je voudrais vous parler.
  - — le futur du passé : Elle a dit qu'elle viendrait.

- **Le subjonctif** s'emploie après des verbes exprimant :
  - — la volonté : Je veux que vous partiez.
  - — un jugement ou un conseil : Il vaut mieux que tu le saches. Il faut que tu fasses attention.
  - — le doute : Je ne crois pas qu'il réussisse.
  - — un sentiment ou une émotion : Je regrette que vous nous quittiez. J'ai peur que tu aies un accident.

⚠ Si le sujet du verbe principal est le même que celui du verbe de la subordonnée, on emploie **l'infinitif.**

Elle souhaite que vous partiez. *mais :* Elle souhaite partir.

— Le subjonctif est obligatoire après certaines conjonctions : *pour que, bien que, avant que, jusqu'à ce que...*

Nous faisons les devoirs de Jean-Pierre pour qu'il puisse faire des reportages.

- **La construction des verbes**

Si le verbe peut s'employer sans complément, la construction est **intransitive.**

Je mange. Il dort.

Si le verbe est suivi d'un complément, la construction est **transitive.**

a. Xavier a fait une annonce.
b. M. Duray s'intéresse à *Radio-Rivage.*

Le complément d'objet du verbe peut être :
- — un nom : Il lit **un journal.**
- — un pronom : Il **le** lit.
- — un infinitif : Il aime **lire.** Il a décidé de **partir.**
- — une proposition : Il lit **ce qui lui plaît.**

Seuls les verbes transitifs directs du type a peuvent se mettre **au passif.**

Une annonce a été faite par Xavier.

• les pronoms compléments

- Leur place : entre le sujet et le verbe, sauf à l'impératif.
Pensez à la composition d'une équipe de football avec 5 avants, 3 demis, 2 arrières et un gardien de but !

<table>
<tr><td>me, m'
te, t'
se, s'
nous
vous</td><td>le | l'
la |
les</td><td>lui
leur</td><td>y/en</td></tr>
<tr><td>1</td><td>2</td><td>3</td><td>4</td></tr>
</table>

Règle : On ne peut pas avoir plus de deux pronoms compléments à la suite.
Règle : Il faut utiliser les pronoms dans l'ordre ; 1-2 ou 2-3 ou 1-4 ou 3-4 ou seuls.

Nous envoyons ce paquet à Bernard. → Nous **le lui** envoyons.
→ Non, ne **le lui** envoyez pas.
Tu as donné de l'argent à Laurent. → Tu **lui en** as donné.
→ Ne **lui en** donne pas.
Il t'a écrit cette lettre. → Il **te l'**a écrite.

⚠ L'ordre est différent avec un impératif à la forme affirmative.

le la les	moi toi lui nous vous leur
1	2

m' t' lui nous vous leur	en
1	2

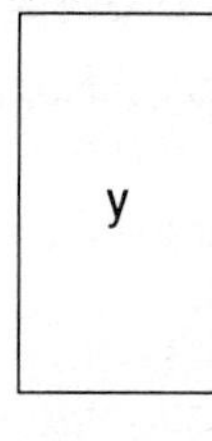

Montre cette lettre à Martine. → Montre-la-lui.
Donne du café à Bernard. → Donne-lui-en.
Va à la poste. → Vas-y.

• les pronoms (formes fortes)

moi - toi **lui / elle** **nous - vous** **eux / elles**

Ils sont employés :
- seuls (pour insister) : **Moi,** je pars. **Toi,** tu restes.
- après une préposition : Tu sors avec **lui.**
  Ils sont sortis avant **elle.**
  Elles parlent de **nous.**

• Le pronom indéfini sujet ON

«ON» peut se comprendre **à toutes les personnes.**

Alors, Martine, on aime mes photos? (*on* = tu)
Laurent, on va à Grasse? (*on* = nous)

On lui a dit «non». (*on* = il, quelqu'un)
On dit que c'est une ville agréable.
(*on* = ils, les gens)

• les pronoms Y et EN

Y = à + **nom de lieu** à + **compl.** (choses) ⚠ à + **compl.** (pers.)	Elle va **à Paris.** → Elle **y** va. Elle pense **à ses problèmes.** → Elle **y** pense. Elle pense **à ses amis.** → Elle pense **à eux.**
EN = **de** + **nom de lieu** **de** + **compl.** (choses) ⚠ **de** + **compl.** (pers.)	Il vient **de Paris.** → Il **en** vient. Il s'occupe **de ses affaires.** → Il **s'en** occupe. Il s'occupe **de ses enfants.** → Il s'occupe **d'eux.**

• place des adverbes dans le groupe du verbe

- après le verbe à un temps simple : Je vois **souvent** Martine.
  Laurent travaille **trop.**
- après l'infinitif ou le participe : Il veut travailler **beaucoup.**
  Elles sont venues **rapidement.**

⚠ Les adverbes de quantité se placent toujours avant le participe passé dans une forme verbale composée.

Ils se sont **bien** amusés.

3. Le groupe du nom

• composition et place des éléments

avant le nom					NOM	après le nom	
tout(e) tous toutes	le, la, l', les un, une, des ce, cet, cette, ces mon, ma, mes...	deux trois ...	premier second troisième ...	grand petit beau bon jeune vieux joli vrai	homme femme voiture ami etc.	rouge agréable	de...
	du, de la, de l' des un peu de beaucoup de quelques						qui... que...
	quel(s)/quelle(s)						

Tous les bons amis qui m'écrivent...
Quelle belle voiture de course !

• le nom

masculin		féminin
stagiaire	=	stagiaire
ami	**+ e**	ami**e**
danseur	**eur → euse**	dans**euse**
acteur	**eur → rice**	act**rice**
homme	≠	femme

singulier		pluriel
voiture	**+ s**	voiture**s**
bateau	**+ x**	bateau**x**
journal	**al → aux**	journ**aux**
souris	=	souris

Le nom peut être seul (sans article et sans adjectif).

- noms propres : **Martine Doucet** est là. Mais : ⚠ **Les** Duray sont là.
- noms de ville : **Lyon** est une grande ville.
- noms attributs : Bernard est **photographe.**
- après certaines prépositions : une chaise de **cuisine** – un fauteuil en **cuir**
- dans certaines expressions : avoir **mal** – avoir **faim** – avoir **raison**

Les noms terminés par **s, x,** ou **z** ne changent pas au pluriel.

fils, voix, nez...

monsieur → **mes**sieurs
madame → **mes**dames
mademoiselle → **mes**demoiselles

• l'article défini

singulier	
masculin	féminin
le nom	**la** page
l'hôtel	**l'**adresse

pluriel	
masculin et féminin	
les noms	**les** pages
les hôtels	**les** adresses

⚠ **à + le = au** Elle va **au** marché.
à + les = aux Il écrit **aux** enfants.

de + le = du Elle revient **du** marché.
de + les = des le prix **des** livres

Deux cas d'emploi :

a. la **détermination** : les rues de Paris, le soleil
b. la **généralisation** : Il aime les gâteaux.
Les voyages coûtent cher.

Et aussi

— devant les noms de jours et de mois, s'il s'agit d'un fait habituel :

Ils sortent **le** samedi (= tous les samedis)
Ils sortent samedi (= samedi prochain)

— devant les parties du corps :

Il a **les** cheveux longs.
Elle se lave **les** mains.

- Les noms de pays, de provinces, de fleuves prennent l'article défini :

la France – **l'**Allemagne – **l'**Autriche – **la** Suisse
la Bretagne – **la** Provence – **la** Normandie
la Seine – **le** Rhône – **la** Saône

⚠ sauf quand ils sont précédés par les prépositions *en* et *de*.

Ils arrivent d'Allemagne. (nom féminin) — mais : Ils arrivent du Portugal.
Ils vont en Hollande. (nom féminin) — mais : Ils vont aux États-Unis.

• l'article indéfini

singulier			
masculin		féminin	
un	journaliste étudiant	**une**	stagiaire étudiante

pluriel	
masculin et féminin	
des	journalistes étudiants

• l'article partitif

Il s'emploie devant des noms désignant des substances, des quantités, des qualités dont on ne peut préciser ou compter le nombre.

masculin	féminin
du vin **de l'**air	**de la** bière **de l'**eau

- substances : **du** pain, **de la** viande, **de l'**eau
- quantités indéfinies : Donne-moi **du** lait.
- qualités : Ils ont **du** courage.

À la forme négative, les articles partitifs ont deux formes différentes selon que la négation porte sur la **quantité** ou sur la **qualité** ou la **nature.**

quantité : Il n'y a pas **de** poisson aujourd'hui.
qualité/nature : Ce n'est pas **du** poisson, c'est de la viande.

• l'expression de la quantité

Elle a acheté **un peu / beaucoup / assez / trop / une livre / un paquet** de café.

Elle en a acheté **un peu / beaucoup / assez / trop / une livre / un paquet**

Quantité 0 : Elle **n'**a **pas** acheté **de** café.

Elle **n'en** a **pas** acheté.

Elle a acheté **trois** / **beaucoup**, **assez**, **trop** } **de** livres.

Elle en a acheté **trois** / **beaucoup** / **assez** / **trop**

Quantité 0 : Elle **n'**a **pas** acheté **de** livres.

Elle **n'en** a **pas** acheté.

• les nombres cardinaux

0 zéro 1 un 2 deux 3 trois 4 quatre 5 cinq 6 six 7 sept 8 huit 9 neuf	10 dix 11 onze 12 douze 13 treize 14 quatorze 15 quinze 16 seize 17 dix-sept 18 dix-huit 19 dix-neuf	20 vingt 21 vingt et un 22 vingt-deux 30 trente 40 quarante 50 cinquante 60 soixante 70 soixante-dix 80 quatre-vingt(s) 90 quatre-vingt-dix	100 cent 200 deux cent(s) 307 trois cent sept 542 cinq cent quarante-deux 1 000 mille 1 982 mille neuf cent quatre-vingt-deux 1 000 000 un million

• les nombres ordinaux

1er premier
2e deuxième (ou second)
3e troisième... et quatrième, cinquième, sixième, etc.

• l'adjectif possessif

singulier		pluriel
masculin	féminin	masculin <u>et</u> féminin
mon nom **ton** chapeau **son** âge	**ma** maison **ta** cousine **sa** voiture ⚠ **mon** adresse **ton** amie **son** heure	**mes** amis/amies **tes** chapeaux/chaussures **ses** objets/chansons
notre livre/conversation **votre** pain/viande **leur** avion/adresse		**nos** livres/conversations **vos** journaux/méthodes **leurs** chiens/filles

• l'adjectif démonstratif

singulier		pluriel
masculin	féminin	masculin et féminin
ce livre **cet** ami	**cette** femme amie	**ces** livres/femmes amis/amies

• l'adjectif interrogatif/exclamatif

	masculin	féminin
singulier	**Quel**	**Quelle**
pluriel	**Quels**	**Quelles**

Quelle heure est-il ?
Quel beau livre !

• l'adjectif qualificatif

masculin		féminin
facile - jeune - triste - jaune - classique		
vrai grand	+ **e**	vraie grande
heureux	x → **se**	heureuse
sportif	.f → **ve**	sportive
beau/bel nouveau/nouvel	el ↘ eau ↗ **elle**	**belle** nouve**lle**
gros	+ **se**	grosse
bon/ancien	+ **ne**	bonne ancienne

singulier	pluriel
joli jolie	joli**s** jolies
nouv**eau** nouv**elle**	nouv**eaux** nouv**elles**
amic**al** amic**ale**	amic**aux** amic**ales**

⚠ blanc → blanche
doux → douce
favori → favorite

- L'adjectif qualificatif se place en général après le nom et s'accorde avec lui.

  C'est une voiture américaine.
  Il travaille sur des exercices longs et difficiles.

- Certains adjectifs peuvent aussi se placer avant le nom comme :
  nouveau, bon, beau, joli, vrai, jeune, vieux, grand, petit.

⚠ Un petit nombre d'adjectifs changent de sens selon leur position.

le dernier mois de l'année — un pauvre homme
le mois dernier — un homme pauvre

• la comparaison

• **le comparatif – moins, = aussi, + plus ... que/qu'**

Un chien est	moins rapide aussi intelligent plus grand	qu'un chat.

⚠ bon → meilleur
mauvais → pire

• **le superlatif – le moins, + le plus / la moins, la plus**

Laurent est le plus gentil de mes amis.
Martine est la moins belle de mes sœurs.
le jour le plus long

• L'adjectif peut être précédé d'un adverbe d'intensité.

Bernard est	assez très fort extrêmement	intelligent.

• les pronoms

Le groupe du nom peut être remplacé par un pronom (pro-nom).

Mes deux meilleurs amis } arrivent demain.
Ils

(voir la liste des pronoms sujets p. 158)

• **les pronoms démonstratifs**

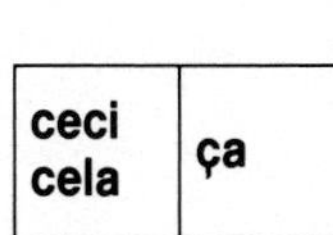

ceci cela	ça

singulier	
celui-ci **celui-là**	**celle-ci** **celle-là**

pluriel	
ceux-ci **ceux-là**	**celles-ci** **celles-là**

ce qui ...   **ce que ...**   **celui qui ...,**   **celui que ...**
celui de ...,   **celle de ..., ceux de ..., celles de ...**

⚠ *celui, celle, ceux, celles* ne s'emploient jamais seuls.

Je choisis celle-ci.

• **lequel/lesquels, laquelle/lesquelles**
introduisent une idée de **choix.**

(De ces deux voitures) laquelle préfères-tu ?

- **Il est... ≠ C'est**

— quatre cas d'emploi de *il est (elle est)* :

(1) *Il est* + nom de profession sans article.	Il est photographe. Elle est journaliste.
(2) *Il est* + expression de l'heure.	Il est six heures. Il est tôt/tard.
(3) *Il est* + adjectif	Il est beau.
(4) *Il est* + adverbe de lieu.	Il est ici, dans la chambre.

— dans tous les autres cas, employez *c'est* suivi d'un :

• pronom :	C'est lui. C'est celui qui est venu. C'est ce qui m'inquiète.
• nom propre :	C'est Jean.
• article :	C'est une journaliste. C'est un Anglais. C'est le photographe.
• adverbe de temps :	C'est aujourd'hui. C'était hier.
• adverbe de quantité :	C'est assez.
• adverbe de lieu :	C'est ici.
• adjectif :	Le sport, c'est excellent pour la santé.

- **la proposition relative**

L'homme La voiture	**qui**	**parle français.** **va vite.**

L'homme La voiture	**que**	**j'ai vu.** **tu as achetée.**

4. La phrase complexe

La phrase complexe se compose d'**au moins deux propositions.** Chaque proposition contient normalement un sujet et un verbe et peut avoir des compléments. Les propositions sont en général **reliées par une conjonction** *(que, avant que, si...).*

proposition principale	proposition subordonnée
Je pense Je lui téléphonerai	qu'elle viendra pour qu'elle vienne
Ils ont laissé	partir les voleurs

- **les principales conjonctions**

temps	quand, lorsque, pendant que, après que, depuis que (+ *indicatif*) jusqu'à ce que, avant que (+ *subjonctif*)
cause	parce que, puisque (+ *indicatif*)
but	pour que, afin que (+ *subjonctif*)
concession	bien que (+ *subjonctif*)
condition	si (+ *indicatif*)

- **l'expression de la condition**

hypothèse	condition	conséquence
réalisable à coup sûr	*présent :* S'il pleut, S'il arrive premier,	*futur :* je sortirai. j'aurai gagné.
douteuse ou même fausse	*imparfait :* S'il pleuvait, (demain : doute) (maintenant : non réalisée)	*conditionnel :* je sortirais.
non réalisée dans le passé	*plus-que-parfait :* S'il avait plu,	*conditionnel passé :* je serais sorti.

Sans + nom peut servir à exprimer une hypothèse négative :

Sans l'aide de Jean-Pierre, Martine n'aurait pas pu faire les reportages.
(Si Jean-Pierre ne l'avait pas aidée...)

- **la proposition infinitive**

L'infinitif peut s'employer après :

— des verbes exprimant une **sensation** *(écouter, entendre, regarder, voir...)*

J'ai vu la voiture arriver.

— des verbes exprimant une **opinion,** un **souhait** Il espère venir.

— les verbes *devoir, falloir, pouvoir, savoir* et *vouloir*

Il a dû aller à Grasse.
Il faut partir.
Elle sait nager.

— les verbes *laisser* et *faire*

Laissez la police s'occuper des voleurs de voitures.
Le metteur en scène fait jouer Martine.

L'infinitif suit toujours *faire* et les noms compléments suivent l'infinitif.
Les pronoms compléments précèdent *faire* et *laisser.*

Il fait construire sa maison. Il la fait construire. (*mais :* Fais-la construire).

Ils laissent tomber Xavier. Ils le laissent tomber. (*mais :* Laissez-le tomber).

• la proposition subordonnée au gérondif

Le **gérondif** est la **forme adverbiale du verbe :** *En* + forme en ANT du verbe.

En arrivant à Nice, nous avons cherché un bureau.

Le gérondif peut exprimer le temps, le moyen, la manière, la cause.

• l'interrogation indirecte

On trouve des questions indirectes après des verbes qui posent implicitement une question : *ne pas savoir, demander, chercher.*

Monsieur Duray ne sait pas où ils sont allés.
Monsieur Duray demande ce qui s'est passé.

Mots interrogatifs :

- utilisez ceux de l'interrogation directe : *où, quand, pourquoi...*
- *qu'est-ce qui → ce qui,*
  qu'est-ce que → ce que
- dans le cas d'une interrogation avec réponse *oui/si/non* utilisez ***si*** (et supprimez *est-ce que* le cas échéant).

  Monsieur Duray veut savoir si Martine est au bureau.

- reprenez l'ordre : sujet + verbe

  (Où sont-ils allés?)
  Monsieur Duray veut savoir où ils sont allés.

• la concordance des temps

temps de la subordonnée			
présent	Je crois	qu'il	t'attend.
imparfait	Je croyais J'ai cru J'avais cru	qu'il	t'attendait.
futur	Je crois	qu'il	t'attendra.
conditionnel	Je croyais J'ai cru J'avais cru	qu'il	t'attendrait.
passé composé ou imparfait	Je crois	qu'il qu'il	t'attendait. t'a attendu.
plus-que-parfait	Je croyais J'ai cru	qu'il	t'avait attendu.
subjonctif	Je veux Je voulais	qu'il	vienne.

Émission 14

AVEZ-VOUS BIEN SUIVI L'HISTOIRE ?

1 c, f, b, e, g, a, d

2 *a.* Bernard - *b.* Sylvie - *c.* Martine - *d.* M. Duray - *e.* Xavier - *f.* Laurent

3 *a.* Bernard - *b.* Martine - *c.* Laurent - *d.* Martine - *e.* Bernard - *f.* Martine, Laurent

4 *a.* vrai - *b.* faux - *c.* vrai - *d.* faux - *e.* vrai - *f.* faux

5 Regardez l'épisode avec attention et vous trouverez plusieurs réponses possibles.

POUR COMPRENDRE ET POUR VOUS EXPRIMER

1 détruites - endommagées - relogées - évacués - étaient - brûlées - apercevait - quittées - perdu - rentrés - y avait - accepté

2 *a.* En louant ses bureaux, Xavier a trouvé...
b. En proposant un accord, ils se sont...
c. En allant à la plage, ils...
d. En entrant dans les bureaux de *Radio-Rivage,* ils ont vu...

3 *a.* prudente - *b.* travailleuse - *c.* impoli - *d.* agréable - *e.* ennuyeuse

COMPRENDRE LES INTONATIONS

a. 1. Laurent est gentil avec Bernard.
2. Laurent n'est pas gentil avec Bernard.

b. 1. Laurent n'est pas content.
2. Laurent est content.

c. 1. Martine donne un ordre.
2. Martine donne un conseil.

CONSTRUIRE UN TEXTE

1 *a.* photo 1
b. La phrase 1 décrit simplement la situation ; la phrase 2 décrit et explique la situation ; la phrase 3 précise qui est Martine et ce qu'elle désire.

Émission 15

AVEZ-VOUS BIEN SUIVI L'HISTOIRE ?

1 g, d, e, c, f, h, b, a

2 *a.* M. Duray - *b.* Bernard - *c.* Laurent - *d.* Martine - *e.* M. Langlois

3 *a.* Xavier est au micro de *Radio-Rivage.* - *b.* Bernard répond au téléphone à M. Duray. - *c.* Mlle Fontana prend un atomiseur et vaporise Bernard. - *d.* Mlle Fontana emmène Bernard en voiture. - *e.* M. Langlois est en train de sentir différents parfums.

4 *a.* faux - *b.* vrai - *c.* faux - *d.* faux - *e.* vrai - *f.* vrai

5 Regardez l'épisode avec attention et vous trouverez plusieurs réponses possibles.

POUR COMPRENDRE ET POUR VOUS EXPRIMER

1 agréablement - amicalement - bien - brusquement - calmement - dangereusement - difficilement - durement - franchement - régulièrement - lentement - mal - nouvellement - sincèrement - prudemment - violemment

2 *a.* Mlle Fontana conduit plus dangereusement que Bernard.
b. Bernard travaille moins durement que Laurent.
c. Bernard parle plus franchement que Laurent.
d. Martine se met en colère plus violemment que Laurent.

3 *a.* plus intéressant que celui...
b. meilleures que celles...
c. plus sérieux que ceux...
d. plus amusantes que celles...

4

Bernard est allé à Nice.	Il est allé où?	Où est-il allé?
M. Duray veut un reportage.	M. Duray veut quoi?	Que veut M. Duray?
Mlle Fontana est dynamique.	Elle est comment?	Comment est-elle?
Elle raconte l'histoire.	Elle fait quoi?	Que fait-elle?

COMPRENDRE LES INTONATIONS

1 *a.* 1. surprise 2. reproche 3. simple constatation
b. 1. simple constatation 2. soupçon 3. colère
c. 1. simple conseil 2. peur 3. ironie

2 1.a - 2.a - 3.b - 4.a - 5.b

Émission 16

AVEZ-VOUS BIEN SUIVI L'HISTOIRE ?

1 h, d, g, f, a, c, b, e

2 *a.* le peintre - *b.* le jeune homme (le faussaire) - *c.* Laurent - *d.* Laurent - *e.* le marchand de tableaux - *f.* Bernard

3 *a, d*

4 *a.* vrai - *b.* faux - *c.* vrai - *d.* faux - *e.* faux - *f.* vrai

5 Regardez l'épisode avec attention et vous trouverez plusieurs réponses possibles.

POUR COMPRENDRE ET POUR VOUS EXPRIMER

1 *a.* Laurent faisait une enquête.
b. Le faussaire finissait de peindre.
c. Martine suivait le faussaire.
d. Le faussaire voulait s'enfuir.

3 *a.* Chez Martine, il y a beaucoup de reproductions.
b. Chez Martine, il n'y a pas de vrais tableaux.
c. Sur la mer, il y a quelques bateaux.
d. Bernard fait beaucoup de photos.
e. Le peintre vend quelques toiles.

3 *a.* Oui, elle en peint un.
b. Oui, il y en a une.
c. Non, il n'y en a pas.
d. Oui, il en vend.
e. Oui, il en achète un.

4 s'occuper de, se douter de, s'approcher de, se tromper de, se rendre compte de

COMPRENDRE LES INTONATIONS ET LES MIMIQUES

1 *a.* 1. simple question 2. grande surprise 3. question répétée
b. 1. refus poli 2. refus brutal, définitif 3. refus non définitif
c. 1. remarque ironique 2. reproche violent 3. simple conseil

2 *a.* l'intérêt - *b.* le doute et la gêne - *c.* la moquerie

Émission 17

AVEZ-VOUS BIEN SUIVI L'HISTOIRE ?

1 f, e, c, g, b, a, d

2 *a.* Bernard - *b.* Laurent - *c.* Xavier - *d.* M. Duray - *e.* Martine - *f.* Laurent

3 *a.* vin, côte de bœuf, salade - *b.* fantôme, se cogner la tête, peinture - *c.* promenade, laisser tomber, jour de congé

4 *a.* vrai - *b.* faux - *c.* faux - *d.* faux - *e.* vrai - *f.* faux - *g.* faux

5 Regardez l'épisode avec attention et vous trouverez plusieurs réponses possibles.

POUR COMPRENDRE ET POUR VOUS EXPRIMER

1 *a.* Il y aura probablement du soleil le matin, mais il y aura sans doute quelques averses dans l'après-midi.
b. Je pense qu'on aura de la pluie et du vent.
c. Le temps sera probablement couvert et il y aura quelques orages le soir.
d. Il est certain que nous aurons du brouillard et de la neige demain.

2 accord : «Ce n'est pas mal du tout comme idée.» «Et moi, je trouve même que c'est une idée formidable!»
désaccord : «... mais je préfère une promenade en mer.» «Ah, non, non! Moi, je suis contre.»
indifférence : «Eh bien, tant pis!»

3 *a.* ... où elle envoie les étudiants.
b. ... quels hôtels elle propose.
c. ... qui vient lui demander des chambres.
d. ... ce qu'elle conseille comme excursions.
e. ... ce qui se passe en hiver.

4 *a.* Ils ont laissé Xavier faire les émissions.
b. Ils ont laissé Xavier répondre au téléphone.
c. Ils ont laissé Xavier recevoir les visiteurs.
d. Ils ont laissé Xavier choisir les disques.

COMPRENDRE LES INTONATIONS ET LES MIMIQUES

1 *a.* C - *b.* D - *c.* D - *d.* C - *e.* C - *f.* D - *g.* C

2 *a.* l'attention et la sympathie - *b.* la peur - *c.* la gaieté

Émission 18

AVEZ-VOUS BIEN SUIVI L'HISTOIRE ?

1 d, e, g, b, h, a, f, c

2 *a.* Bernard - *b.* Laurent - *c.* Martine - *d.* Laurent - *e.* Mireille - *f.* Martine

3 à éliminer : a, b, d

4 *a.* vrai - *b.* faux - *c.* vrai - *d.* vrai - *e.* faux - *f.* faux

5 Regardez l'épisode avec attention et vous trouverez plusieurs réponses possibles.

POUR COMPRENDRE ET POUR VOUS EXPRIMER

2 *a.* sympathiques - *b.* premier, dur - *c.* jolie - *d.* belles, chaudes

3 *a.* Comment ! Léon le lui a demandé ?
b. Comment ! Laurent s'en est servi ?
c. Comment ! Mathias l'y a emmené ?
d. Comment ! Laurent le leur a avoué ?

COMPRENDRE LES INTONATIONS ET LES MIMIQUES

1 agacement ou irritation : a, d, e, f

2 *a.* de bonne humeur - *b.* intéressé - *c.* surpris

Émission 19

AVEZ-VOUS BIEN SUIVI L'HISTOIRE ?

1 c, g, a, d, f, b, e

2 *a.* Laurent - *b.* Bernard - *c.* Monsieur Antoine - *d.* Monsieur Antoine - *e.* L'homme - *f.* Laurent

3 à éliminer : c, e

4 *a.* vrai - *b.* vrai - *c.* faux - *d.* vrai - *e.* vrai - *f.* faux

5 Regardez l'épisode avec attention et vous trouverez plusieurs réponses possibles.

POUR COMPRENDRE ET POUR VOUS EXPRIMER

1 *a.* Si, donne-leur-en. - *b.* Si, ramenez-le-moi. - *c.* Si, vas-y. - *d.* Si, dites-le-lui.

3 *a.* ni oui, ni non - *b.* non - *c.* ni oui, ni non - *d.* oui - *e.* oui - *f.* non

COMPRENDRE LES INTONATIONS ET LES MIMIQUES

1 irritation : d, f, h — découragement : a, e, g
admiration : b, c

2 *a.* agressif - *b.* dégoûté - *c.* moqueur - *d.* admiratif

CORRIGÉS

Émission 20

AVEZ-VOUS BIEN SUIVI L'HISTOIRE ?

1 e, g, f, d, a, c, b, h

2 *a.* Samantha - *b.* Martine - *c.* le garçon - *d.* Xavier - *e.* Bernard - *f.* la mère Potiron

3 à éliminer : b, d, e

4 *a.* vrai - *b.* faux - *c.* vrai - *d.* faux - *e.* faux - *f.* vrai

5 Regardez l'épisode avec attention et vous trouverez plusieurs réponses possibles.

POUR COMPRENDRE ET POUR VOUS EXPRIMER

1 *a.* 1, 2, 3 - *b.* 4, 5, 6 - *c.* 5, 6, 7, 8

2 *a.* un foie gras - *b.* une salade de tomates - *c.* un gigot - *d.* un fromage

3 *a.* Tu étais parti quand je suis arrivé.
b. J'avais téléphoné à mes amis quand tu m'as appelé(e).
c. J'avais accepté de dîner avec Martine quand tu m'as téléphoné.
d. Bernard avait vu que Samantha était seule quand il l'a invitée.

COMPRENDRE LES INTONATIONS ET LES MIMIQUES

1

a.	1 critique polie	2 jugement favorable	3 indifférence
b.	1 amusement	2 simple question	3 agacement
c.	1 ordre	2 sous-entendu, soupçon	3 prière

2 *a.* sérieux - *b.* intéressé - *c.* souriant - *d.* content

Émission 21

AVEZ-VOUS BIEN SUIVI L'HISTOIRE ?

1 g, e, d, h, c, a, b, f

2 *a.* M. Duray - *b.* Martine - *c.* Bernard - *d.* Bernard - *e.* le policier - *f.* le commissaire

3 à éliminer : d

4 *a.* faux - *b.* faux - *c.* vrai - *d.* vrai - *e.* vrai - *f.* vrai

5 Regardez l'épisode avec attention et vous trouverez plusieurs réponses possibles.

POUR COMPRENDRE ET POUR VOUS EXPRIMER

1 *a.* les gens - *b.* nous - *c.* la police - *d.* nous - *e.* nous - *f.* vous

2 *a.* puisque - *b.* parce que - *c.* puisque - *d.* puisque - *e.* parce que

4 *a.* Je t'avais dit de garder le contact avec Bernard !
b. Je t'avais répondu qu'il ne fallait pas en parler à la police !
c. Je t'avais écrit que l'idée n'était pas bonne !
d. Je t'avais dit de ne pas prendre de risques !

5 *a.* ... deux hommes voler la voiture. - *b.* ... les deux hommes se cacher dans Nice. - *c.* ... le bateau partir vers la Corse.

6 *a.* assez - *b.* une certaine originalité - *c.* n'est pas mauvaise - *d.* d'une assez bonne qualité

COMPRENDRE LES INTONATIONS ET LES MIMIQUES

1 reproche : d, h — découragement : a, b, e, g
inquiétude : c, f

2 *a.* ennuyé - *b.* surpris - *c.* ironique - *d.* furieux

Émission 22

AVEZ-VOUS BIEN SUIVI L'HISTOIRE ?

1 d, c, b, g, f, h, e, a

2 *a.* M. Duray - *b.* Bernard - *c.* Laurent - *d.* Martine - *e.* le capitaine - *f.* le proviseur

3 à éliminer : a, c, e

4 *a.* faux - *b.* faux - *c.* faux - *d.* vrai - *e.* faux - *f.* vrai

5 Regardez l'épisode avec attention et vous trouverez plusieurs réponses possibles.

POUR COMPRENDRE ET POUR VOUS EXPRIMER

1 *a.* S'il continue..., il sera renvoyé.
S'il continuait..., il serait renvoyé.
b. S'il commente..., il aura une place dans la tribune des journalistes.
S'il commentait..., il aurait...
c. S'il travaille..., il aura une récompense.
S'il travaillait..., il aurait...
d. S'il termine..., il sera un bon journaliste.
S'il terminait..., il serait...
e. S'il devient..., il pourra jouer tous les jours.
S'il devenait..., il pourrait...

a. Si M. Duray n'avait pas obtenu l'autorisation de la Fédération, *Radio-Rivage* ne serait pas devenue la radio du football.
b. Si Martine n'était pas intervenue, Jean-Pierre ne serait plus au lycée.
c. Si Nice n'avait pas gagné, l'équipe ne se serait pas qualifiée pour la coupe.
d. Si M. Duray n'avait pas eu confiance, Martine n'aurait pas réussi.
e. Si Bernard et Laurent ne l'avaient pas aidé, Jean-Pierre aurait été renvoyé du lycée.

2 *a.* Sans l'autorisation de la Fédération, *Radio-Rivage* ne serait pas devenue la radio du football.
b. Sans l'intervention de Martine, Jean-Pierre ne serait plus au lycée.
c. Sans la victoire de Nice...
d. Sans la confiance de M. Duray...
e. Sans l'aide de Bernard et Laurent...

4 Elle est la... C'est ici... C'est Jean-Pierre... C'est ce... Il était... C'est Nice... C'était...

5 *a.* aides - *b.* font - *c.* félicite - *d.* allez - *e.* ont

COMPRENDRE LES INTONATIONS ET LES MIMIQUES

1

a.	1 simple constatation	2 grande satisfaction	3 regret
b.	1 plaisanterie	2 reproche	3 simple constatation
c.	1 surprise	2 enthousiasme	3 indifférence
d.	1 moquerie	2 protestation	3 satisfaction

2 *a.* joyeux - *b.* fâché - *c.* attentif - *d.* moqueur

CORRIGÉS

Émission 23

AVEZ-VOUS BIEN SUIVI L'HISTOIRE ?

1 f, e, d, g, a, b, c

2 *a.* Bernard - *b.* Martine - *c.* Martine - *d.* Denys - *e.* un jeune gardian

3 à éliminer : f

4 *a.* faux - *b.* faux - *c.* vrai - *d.* faux

5 Regardez l'épisode avec attention et vous trouverez plusieurs réponses possibles.

POUR COMPRENDRE ET POUR VOUS EXPRIMER

1 *a.* ... que tu téléphones.
b. ... que vous montiez à cheval.
c. ... que vous soyez heureux.
d. ... que vous vous leviez.

a. Il faut que tu fasses attention.
b. ... que tu te soignes.
c. ... que vous soyez gentil.
d. ... que vous fassiez des photos.

2 Réponses possibles :
a. Je pense que Laurent est malade.
b. Laurent a probablement attrapé froid.
c. Bernard n'est jamais monté à cheval, c'est certain.
d. M. Duray n'avait peut-être pas l'intention de travailler.
e. Le gardian plaisantait sans aucun doute.

3 *a.* Visiter la Camargue, ça aurait été formidable !
b. ..., ça m'aurait beaucoup intéressé !
c. ..., ça m'aurait fait vraiment plaisir !

COMPRENDRE LES INTONATIONS ET LES MIMIQUES

1 *a.* C'est Bernard qui parle.
b. Il se moque de Martine.
c. Il est ironique.

2 *a.* C'est M. Duray qui parle.
b. Il le dit pour se moquer de Bernard.
c. Bernard est tombé de cheval.

3 *a.* C'est un jeune gardian qui parle.
b. Il le dit pour s'excuser.
c. Bernard se trouve dans une situation ridicule : il est tombé de cheval.

2 *a.* soucieux - *b.* d'excellente humeur - *c.* souriant

Émission 24

AVEZ-VOUS BIEN SUIVI L'HISTOIRE ?

1 h, a, d, b, c, g, f, e

2 *a.* le metteur en scène à la jeune fille - *b.* Bernard à Laurent - *c.* Martine à Laurent et Bernard - *d.* Bernard à Martine - *e.* l'assistant à Martine - *f.* le pompier au metteur en scène

3 à éliminer : c, f

4 *a.* vrai - *b.* vrai - *c.* vrai - *d.* faux - *e.* vrai - *f.* faux

5 Regardez l'épisode avec attention et vous trouverez plusieurs réponses possibles.

POUR COMPRENDRE ET POUR VOUS EXPRIMER

1 *a.* Elle a regretté que Laurent soit absent.
b. ... qu'il n'était pas vraiment malade.
c. ... que Laurent avait probablement la grippe.
d. ... que Laurent s'excusait.
e. ... que Bernard soit tombé de cheval.

2 *a.* Il fait étudier leur texte aux acteurs.
b. Il fait répéter les acteurs.
c. Il fait reprendre une scène aux acteurs.
d. Il fait changer les acteurs de costume.
e. Il fait assister les acteurs à la projection.

3 *a.* X - *b.* à - *c.* d' - *d.* de - *e.* de - *f.* à - *g.* d'

COMPRENDRE LES INTONATIONS ET LES MIMIQUES

1 *a.* C'est Martine qui parle.
b. explication
c. Martine rentre des studios de la Victorine et raconte ce qui lui est arrivé.

2 *a.* C'est l'assistant qui parle.
b. ordre
c. Les chaussures qu'on a données à Martine lui font mal, elle ne peut pas respirer.

3 *a.* C'est Bernard qui parle.
b. protestation
c. Martine veut tourner un film.

4 *a.* C'est le metteur en scène qui parle.
b. irritation
c. Il est furieux et énervé par le tournage.

5 *a.* C'est Martine qui parle.
b. mauvaise humeur
c. Laurent vient de critiquer le film.

2 *a.* la gaieté - *b.* le bonheur - *c.* la gêne - *d.* la peur - *e.* la déception

LEXIQUE

(Les mots avec astérisque (*) apparaissent dans les interviews des pages « Reportage ».)

Table

Imprimé en France par HÉRISSEY - 27000 Évreux — N° 59817
Dépôt légal n° 1573-12-1992 — Collection n° 28 — Édition n° 05

15/4694/4